# まえがき

人の知恵には二種類ある。一例を挙げるとソビエトは金星にロケットを打ち込むことが出来る。それだのにチェコに対する仕打ちを見ると、力の強い国は、何をしてもよいとしか思っていない。これでは野獣の知恵から一歩も出ていない。科学技術あらしめている知恵をいくら磨いても、人としての悟りは、少しも開いてこないことがわかる。

この二種類の知恵は格が違うのである。前者は前頭葉の知恵、後者は頭頂葉の知恵で
貴方々は、春の野に咲く菫は一朝一夕に出来たものではないと思うだろう。人の頭頂
の通りであって、永い時を経て段々出来て行くのである。日本民族が今日のようになる
三十万年位かかっているであろう。日本民族と漢民族とは数万年前にわかれたのであっ
れ以前は同じ民族だったと思う。私もそう思うし、胡蘭成氏という中国人もそう思って
その中国の伝説によって計算すると、日本民族の起源は三十万年位前になるのである。

孔子の作曲した五絃琴の曲に、幽蘭の曲というのがある。私は胡氏にレコードを貰って聞いたのであるが、色形は殆んど無いのに不思議に心に強く訴える。これを聞くと、さしもの西洋音楽もすっかり浮き上って見えて、まるで阿鼻叫喚と聞こえる。幽蘭の曲は頭頂葉の世界の音楽、西洋音楽は前頭葉の世界の音楽である。

日本は明治以前には頭頂葉の世界のことをよく知っていた。朝に道を聞かば夕に死すとも可なり。学んで時にこれを習うまた悦しからずや。友あり遠方より来たるまた楽しからずや、などというのがそれである。ところが、明治以後西洋から前頭葉の文明を取り入れて、段々、それに偏ってしまったために、段々、頭頂葉の世界のことを忘れていって、終戦後は全く忘却している。

前頭葉の知恵だけでは、工業的生産力世界第三位まではいけるのだが、その物質的状勢を有効に使って、真の楽土を作ることは出来ないのである。だから物ばかり出来ても、国民の生活は少しも楽しくないのである。それだからこの闇に乗じて、共産主義というバイキンがはびこるのである。

教育も頭頂葉を主にしなければならない。頭頂葉の教育は、菫の種を蒔いて菫の芽を出させ、菫の花を咲かせるのにごくよく似ている。ところが教育は、日本民族という種を芽生えさせることを全くしていないのである。

今年になって、大学生の行動が衆人の目につくようになった。それを見ると、これが日本の民族だろうかと思う。日本民族の子等は、十分に日本民族であるという種を持って生まれている筈である。だからこれは、その種が少しも芽生えていないということである。特に、小・中学校の教育が間違っているのである。大学生の言動は全く粗野であって、少しも日本民族らしい心の優美さがないのである。

一口に「人」といっても、種族によって非常に違うことはブッシュマンを見ればわかるであろう。政治・経済・教育はその種族に合ったものをやるより外仕様がない。これもブッシュマンを仮りに対象にとって考えれば、すぐにわかるであろう。日本民族は日本民族に合うような政治・経済・教育をするより仕方がないのである。

共産主義は、農奴の国ロシアに於ては正義であろうが、日本民族のような、心の優美な民族に対してはバイキンである。日本に於ける一部共産主義の学生の男女関係をよく見て欲しい。

日本民族は頭頂葉の世界に住んでいるのである。ここは大小遠近彼此（自他）の別なきところといわれている。終戦後これを全く忘れたから、今日本は実にひどいことになっている。大学生問題は、このままでは国が亡びるぞという神々の啓示である。ここに収められた講演は、こういう雲行きの中でしたものである。

一九六九年一月

岡　潔

# 目次

## 歴史にみる日本の心

## 情操教育



## 日本民族の危機

# 真我への目覚め

# 二つの自然観

明治維新から百年になるというので、今年（昭和四十二年十二月）ぐらいから、ぼつぼつ、各地で、その当時を偲ぶ催しが行われています。

私が一月ほど前行った、山口市でも、「明治維新百年展」というのが開かれていました。非常によく資料が集められていて、それを見て回っているうちに、すっかり、歴史的雰囲気にひたることができたものです。

そこを出て来て思ったことは、当時の日本人は、実によく働いた。この時に、この人達がこんなによく働いてくれなかったならば、今日の独立国日本はないに違いないということです。我々は、この人達に感謝することを忘れてはならない、そう思いました。

同じ頃、やはり一月程前、朝日テレビが街頭録音をしました。

「あなたは何のために生きていますか」というのです。

おそらく、その編集ぶりからみて、真面目な考えで、このようなことを企画したのではなくその課の人達の〝感〟でこういう質問をすると、きっと面白い結果が得られると思ってしたことだろうと思いますが、大抵が、「あなたは何のために生きていますか」と、だしぬけに問われると、みんなちゃんとした答えができない。それで、いろいろな答えがあって面白かったんですが、ちゃんとした答えは一つもなかった。ひどいのは、「自分は性本能の満足のために生きている」などというようなものもありました。

で、これによってみますと、今日の日本人は、自分は何のために生きているのかさえ知らないと言わなければならないと思います。同じ日本人でありながら、明治維新と今と、どうしてこんなにも大きな差があるのだろうか。

この問題については、少しずつ、網をひきしぼっていって考えてみました。

明治のはじめに、日本は、ぐずぐずしていては、ロシアとかイギリスとかアメリカとかフランスとかに、侵略されてしまうかも知れないと、それを非常に恐れました。

大体、明治維新は、主として、この恐れのために起こったんだろうと思いますが、ともかく、明治の初めにそう思った。

で、それを防ごうというので、大急ぎで、西洋文明を取り入れた。

余り急いで取り入れたために、よく吟味しなくて、西洋文明とともに、物質主義をも取り入れてしまった。

物質主義というのは、物質によって、全て説明できるとしか思えないことです。物質によって、全て説明できると思う、ここにとどまるのでしたら、物質思想ですが、そうとしか思えないというのは物質主義、イズムです。その物質主義をずっと持ち続けたまま、今日に至った。

終戦後、それが一層強化されて、国の旗じるしに掲げられ、それによって、憲法、法律を作り、それによって、社会通念を作り、それによって、教育原理を作り、それを守り続けて今日に至っている。

では、その言うところの物質主義とは何か、ここで、それを調べなければなりません。

今日の日本人は、大抵、みな物質主義者です。物質主義者はこんなふうに考えます。

はじめに、時間、空間というものがある。その中に、自然というものがある。自然は物質である。その一部分が自分の肉体である。その肉体と機能とが自分である。だから、すべて大切なものは、みな物質によって言い表わすことができるのだから、説明も又、物質を基礎にしているところまでゆくのでなければ、完全な説明とはみなすことができない。こんなふうにしか考えられないのです。

今日の日本人は、みなそうだと思われるが、物質によって説明しなければ納得しない。でなければ、架空のものとしてしまうようです。

こういうように、今日の日本人は、そういう自然の中に住んでいると思っている。ところが、明治までの日本人はそうは思っていなかった。仏教がいうような自然の中に住んでいると思っていた。

つまり、まず、心がある。そして、その中に自然があるという、そういう自然です。

仏教は、それをこんな論法で言っています。人が、自然があると思うのは、自然がわかるからである。自然がわかるというのは心の働きである。だから、自然は心の中にある、というふうに言っている。

一応、認識的な言い方ですが、このように日本には、物質主義者が考えるような、欧米人が考えているような、そういう自然がある。これを物質的自然とします。それともう一つ、仏教が言うような自然と、自然について二説あります。

そのどちらが本当で、どちらが間違っているのか、こういう問題が、当然、理性界にある。

これを、できるだけ理性的な方法で決めなければならない。決まらないかもしれないが、しかし、決めてみようとしてみなければならないと思います。

## 理性と無差別智

どういう方法でそれをするかというと、私達が、明治以後、本当に西洋から学んだものは見極めたいという意欲です。これは、明治以前にはなかった。仏教の中にもありません。この意欲を、この問題に適用してみます。

身辺のことのうち、一番手近なことからはじめると、私、今、眼を開いています。そしてみなさんが見える。眼をふさげば見えない。眼をふさげば見えないというのは、物質現象です。しかし、眼を開けると見えるというのは、これは生きているから見えるのであって、生命現象です。

この眼をあければ何故見えるのか、ということについて、西洋の学問は何一つ教えてくれていない。西洋の学問のうち、この方面を受け持っているのは、自然科学、さらに詳しくいえば医学です。

医学は、見るということについて、どう言っているかというと、視覚器官とか、視神経とか視覚中枢とか、そういった道具があって、この道具のどこかに故障があると、見えない、そこまでは言っている。

しかし、故障がなければ、何故見えるのかということについては、一言半句も言っていない。即ち、これも物質現象の説明にとどまる。眼をふさぐと見えないというのと同じことです。

それでは、人は、何故眼をあけると見えるのか。大抵は、これについて疑問すら抱かない。知らないということも知らないのです。これは、無知というより言いようがないのでしょうが、これについて、随分詳しく書いた文献がある。それは仏教の中にあります。

欧米人は、知らないから読まない。日本人は不届きです。仏教の中にあるにかかわらず、捜しもしないで人真似ばかりしている。仏教は、それを、随分詳しく言っています。

普通の人が、経験することによって知っている知力は、理性というような型の知力です。この知力は、まず、意識してでなければ働かない。

つまり、働かそうと思い、その努力を続けている間だけしか働かない。

第二の特徴は、少しずつ、順々にしかわかっていかない。しかし、人が経験する知力に、まれにではあるが、こういうものでないのがあります。

例えば、数学上の発見の時に働く知力は、こんな型の知力ではない。このそうでない型の知力を一番経験するのはどういう時かというと、仏道修行の時です。

仏教の言葉で説明すると、まず、その知力は、無意識裏に働くのです。働かそうとも思わず働かしているとも意識しないのに働く。そして、結果が出る。その結果の出方は、一時にパッとわかって、順々にわかっていったりするのではない。この二つの特徴をもった知力を〝無差(むさ)別智(べっち)〟というのです。

無差別とは、無意識というような意味です。仏道の修行をしますと、無差別智がよく働く。そして、我々が肉眼を使って、いろんなことを知るように、無差別智を使って修行を深めていくのです。それで、仏教には、ごくまれですが、非常な高僧が出る。仏教が、日本に渡ってから、すでに千三百年、ごくまれに出る非常な高僧の経験を書き記したものによって、無差別智のことは非常によくわかっています。

簡単に言うと、仏教には、各宗各派があるが、そのうち真言宗だけは例外として、諸宗諸派は、一致して、無差別智をその働きによって四つに分けている。これを四智（しち）と言います。見るという働きはどうしてできるか、何故見えるのか、というと「無差別智が働くから見えるのだ」というのです。これは無意識裏に働く。だから、働いているということを知らない。その効果も一時に出てしまう。アッと思ったら見えてしまっている。

だから、無差別智もわからない。それで、眼をあけると見えるのが不思議だと思うのです。でも普通、不思議だと思うべきを、それさえ思わない人が多過ぎるようです。

ところで、四種類あるそのどれが働くのかというと、四種類ともに働くのです。人は生きているから知覚運動をする。その知覚のうちで根本のものは、見るという働きですから、それについて説明したわけですが、おそらく外も同様でしょう。

知覚の方はそれくらいにして、身辺のことのうち、運動を見てみます。

私、今、腰かけています。立とうと思うとこのように立ちます。これ又、当然不思議と思うべきはずです。全身四百いくらの筋肉がある。それらが統一的に働くから立つことができた。考えれば考えるほど不思議ではないですか。立つという動作はいろいろあって、決して一つではない。スックと立つのもあればフラフラと立つのもあり、今、私がしたように立たんがために立つのもあります。

これ、不思議と思うのは、無差別智のような知力があることを知らず、理性のように順々にわかっていくような知力しか知らないからです。これも無差別智の働きで、但し、これは、見るという働きよりも、随分簡単とみえまして、唯一種類の無差別智しか働かない。それは、妙観察智（宗音だから濁る）です。

立つという働きをよく見ますと、初めに立とうという気持がある。この気持に様々の色彩がある。それが、発端の情緒となるわけです。で、この情緒を、四次元的に形に現わしたものが立つという動作です。人の動作は全てそうで、情緒を形に表現したものといえる。みな、妙観察智の働きです。情緒を形に表現する。それが動作です。

身の回りを一応見てきましたが、これらについて自然科学は何一つ説明していない。のみならず、我々がそれを知らないと思うことさえ知らないように眼をふさいでしまっている。

わかってみれば、人というのは——肉体のということですが——無差別智の大海の中のあやつり人形のようなものです。

本題にかえって言いますと、人が実際に住んでいる自然は、単に、肉体に備わっている五感でわかるような部分だけではなく、五感ではわからないけれど、無差別智というものが絶えず働いているような、そういう自然でなければならないということになります。

それで次は、無差別智とはどういうものかを調べることになるのですが、これは元々、仏教によって教えてもらったものですから、仏教に聴きます。

仏教は、心の中に自然があると言っている。無差別智とは、その心に働く知力だというのです。心には、ギリシャ流に分けて、知・情・意の三方面があるが、そのどの方面に働くのかと言いますと、知・情・意の三つともに働くのだというのです。無差別智の〝智〟というのは仏教の言葉、普通知・情・意という時の〝知〟というのはギリシャの言葉、それで、仏教の智は、普通に書く知という字の下に、更に日という字を書くのです。

無差別智は心に働くのですが、その心はどういうものか。心の中に自然があると言っている、その心は共通の心なのか、それとも、一人一人別々の心なのかと聴くと、仏教の答えは、一面共通であって、一面、一人一人個々別々なのだと言っています。そうすると、無差別智が働くというのは心の世界の現象ですが、その世界における心の関係は、一つともいえるし、二つともいえる。こういうものですから、心の世界は数学の使えない世界です。しかし、物質の世界は数学の使える世界で、自然科学者の理想としているところは数学へもっていくことです。だから、物質的自然には、無差別智は働き得ない。これで、物質主義は間違いである。我々の住んでいるのは、仏教的自然でなければならない。そういうことになります。

但し、これは、仏教の言うところを信じての話で、もし信じるのがいやならば、一切、何もわからないという無知に甘んじるより外ない。そうなるか、仏教の言うところを信じるか、二つに一つしかないということになる。仏教を信じるとはどういうことか、ということを時間があればお話ししますが、暫く、仏教のいうところを信じましょう。信じなければ、何もわからないし、もちろん、どう教育していいかもわからない。

## 自分とは

明治までの人は、仏教的自然の中に住んでいると思っていた。それを、今の人は、物質的自然の中に住んでいると思ってます。

こう違うと、何が一番大きく変るかといいますと、自分とは何かというところが変る。物質的自然の中に住んでいると、物質が自分だと思います。もっとはっきりいうなら、自分の肉体とその働きとが自分だと思います。今日、大体の日本人はそう思っている。

また、日本国憲法の前文は、暗々裏に、そんなことはわかり切ったことだというように言っている。無言で言っていること、自然に対するが如しです。肉体に備わっている五感で見えるもの以外はないと勝手に決めてしまって、言わなくてもわかっているだろうと言っているのが物質的自然です。自分というものについてもそうで、個人とは何かということ――これは自分とは何かということにもってこられるが、その自分とは、自分の肉体だと思っている。それが個人だと思っている。

こういうように、肉体の働きが自分の心だ、と思うのが西洋の心理学で、それによって教育するなどというのはとんでもない間違いです。

仮に、仏教的自然の中に住んでいるのだとすると、何が自分かということになるが、一番はじめにあるものは心です。その心は一面からみれば、一人一人、個々別々ですが、その一人一人、個々別々である心が、仏教的自然の中に住んでいるのが自分です。物質的自然の中に住んでいるとすると肉体が自分なのです。ここが、大きく変る。

明治までの人は、前にも述べたように、心が自分だというのが本当だとは思っていた。しかし、またしても、肉体が自分だと思いがちだったことも確かです。

心が自分だというその自分を、仏教では、真の自分ということで〝真我〟、あるいは〝大我〟という。

もっとも、大我というのは、宗派によっては別の意味になることもあるが、これに対して、肉体が自分だという、それはまことにちっぽけな自分であるので、〝小我〟と言います。

ところで、仏教は、一口に言えば、小我を自分だと思うのは迷いであって、真我が自分だと思うのが本当であると教えている。ですから、仏教の修行は、各宗派によって様々だが、共通の目的とするところは、小我を自分だと思う迷いを離れて、真我を自分だと悟ろうというところにあります。

真我は、その中に、自然があるというくらい大きい。それを、仏教では時間的にみて〝不生不滅〟だという形容をしている。〝不生〟というのは、生まれない。〝不滅〟というのは死なない。又、不生不滅というのは、時間を上へのぼっても、下へ降りても、必ず自分は存在して生きているといいます。これが本当で不生不滅であると聞くと、あなた方はどう思う。嬉しくなるでしょう。本当にこう思うと、あまり無責任なこともしなくなる。人生七十年きりだと思うと、好き勝手にやらなくては損だということになり、諸悪、雲のごとく起こる。いくら言っても、この一生でしまいと思っていると、無責任な生き方をすることになる。

これが、不滅であるとわかるとガラリと変ります。しかし、これはそうは言っても、なかなか思いにくい。それで、普通、空間の方から説明するのです。

空間的に、人はやはり限りなく広がって行く。その広がり方はというと、普通、人が自分だと思っているものは真我の自分、普通、人が他人だと思っているものは、真我の非自非他だという。己れに非ず他に非ずです。

どういう点で非自非他かというと、個性というのは、真我のもので、人、一人一人が個性をもっている。だから、別々で、この点からいえば、非自、つまり自分ではないというのです。しかし、他人が喜び、他人が幸せそうにしているのをみると、自分が幸せなのと同じ心の喜びを感じるのが、人、本然の姿です。そうでないというのは、心に濁りがあるからです。大体、こんなふうで、他人は非自非他なのです。

又、普通、自然と思っているものは何か。これも、非自非他です。自分というのではないが縁もゆかりもない物質というわけでもない。つまり、非自非他。こう悟ることを、真我といいます。真我を自分と悟るとその人はどんなふうかというと、人が悲しんでいるのを見ると、自分の肉体が引きちぎられるように感じるという。

これが、観音菩薩の心です。そうなりたいから修行する。それが、一番主な目標です。人としてそうなりたいと思う。そうなってごらんなさい。自分は何のために生きているんだろう、などと言っている暇なんかとてもない。

観音菩薩に、「あなたは何のために生きていますか」と聞いたら、「自分は、とてもそんなことをしている暇なんかない。自分の肉体は、あちらこちらひきちぎられそうに思うので、それを取り去るためにせわしいのです」と、そう答えられるでしょう。

ところが、小我を自分だと思っている今の日本人に質問した時、「私は、死ぬのがいやだから、ただ、漫然と生きています」と、こう答えなければならない。しかし、どっちも答えられないでしょう。

真我と小我のところ、これ非常に大切なところですから、もう少し、要点だけを方向を変えて申しましょう。

春が来て桜の花が咲く。この時、もし桜の木の所有権が自分になければ、花を見てもきれいでない、長閑ではないと言う人がいたとしますと、春はその人にとって、どんなに淋しいものでしょう。

それを、もう一歩進めればよい。人が幸せそうにしているのを見ると、自分の心が喜びで満たされる。自分の心に深い喜びを感じるというのが、人本然の心であって、それがうまくいかないのは、心に濁りがあるからです。この、エゴイズムという濁りがあるからだと知って、それを取り去ることに努める。そういう人は、真我に目覚めた人と思います。相当に濁りを取り去って、親疎の別なく、人が幸せそうにしているのをみると、相当、深い喜びが感じられる。

そうなっている人についてみますと、その人にとって、世の中は広々としていて、その人の心は喜びに満たされているでしょう。

また、花を強く愛する人が、花が折り取られているのを見ると、自分の身がひきちぎられるばかりに感じるように、人が悲しんでいるのをみると、自分の身がひきちぎられるように感じるでしょう。これが、観音菩薩型の心で、これが、真我です。心を自分と思う。但し、その心は非常に大きな心であって、肉体の機能が起こすような、肉体に閉じ込められている小さな心ではない。真我が自分だと思えるようになると、肉体が死ねばそれきりなどとは思わない。心は一つに合わさります。

〝日本民族〟、これは心が自分だと思っている人達の集りですから、心の民族です。日本民族の中核の人達は一つに合わさっている。あとの人達は、だんだん同化されるのですが、同化度は一定しないで様々です。同化できた人、これは日本民族の中核ですが、そういう人はどう思っているかというと、自分は日本民族という心から生まれてきて、やがて、又、そこへ帰って行く、一ひらの心だ、とそう思っている。

これを、明治の頃の人について見てみると、例えば吉田松陰です。

松陰は、斬罪になるその日、いよいよ首を斬られる順が回ってきて、「寅次郎、立ちませぇ」と言われて立ち上った時、これは、松陰にも意外だったらしいですが、強い喜びがこみ上げてきた。

それで、松陰は、「ちょっと待ってくれ」と言って、そのせわしいさ中に、自分は、今、非常に嬉しいという意味の歌を一首書き残しています。日本民族の本当に中核をなす人は、このように、〝死を見ること帰するが如し〟という心境でした。

肉体を自分と思っている人は、さあ、首を切られるという時になれば、周章狼狽して、取り乱して悲しみ、到底、嬉しいという歌を詠んでいるなどという暇や余裕のないことはおわかりになるでしょう。

明治の頃の人が、よく働いたのは、真我を自分だと思っていたからであり、今の日本人が、さっぱり冴えないのは、小我を自分だと強く教えられているからです。

これをやっているのが、日本国新憲法の前文です。

## 真我と小我

次に、真我を自分だということに目覚めはじめると、知・情・意にわたって、どういう良いことがあるかということと、真我が自分であるのに間違えて、小我を自分だと思っていると、どういういけないことがあるかを話したいと思います。

仏教では、〝五眼(ごげん)〟ということを言います。五眼というのは、下から数えて、肉眼(にくげん)、これは肉眼のことです。その上が、天眼(てんげん)、その上が、慧眼(えげん)、その上が、法眼(ほうげん)、その上が、仏眼(ぶつげん)、こう言います。

簡単にいえば、無差別智の働きで、このうち、法眼と仏眼とは仏を見る眼です。不完全には法眼、完全には仏眼で見ます。仏は自然界にはお住いになっていない。仏のお住いになっているところを心霊界というのです。この心霊界にお住いになっている仏を、法眼とか仏眼で見ることを見仏という。決して、自然界にお住いになっている仏を肉眼で見るのではない。

今、ここで言いたいと思っていることは天眼のことです。

仏教で、六道輪廻（りんね）ということを言う。六つの道をぐるぐる廻る。廻る六道とは、上から数えて、天道・人道・修羅道・畜生道・餓鬼道・地獄道というのである。このうち、畜生道と人道とだけは、肉眼でわかるが、他の四道は肉眼では見えない。これを見る眼は天眼です。この六道輪廻というのは、ごくまれに出る、といっても、今から数えると、相当数にのぼっている高僧達が、天眼によって、実際に御覧になったところを書き記しているのであって、架空のことではない。道元禅師は、生粋の日本人らしい日本人ですが、六道輪廻が本当にあるということを信じなければいけない、と厳しくおっしゃっている。

仏教が千三百年、日本の人達を教え導いてきて、その倫理の役目をしていたものは、六道輪廻だったと思います。小我を自分だと思っていると、人、天二道に止まることは、実に容易でない。そういうのは、大抵、四悪道に輪廻するといわれています。

ところで、日本国新憲法の前文は、小我こそお前である、それは万古の真理である、尊厳な事実である、と言って、これによって、憲法・法律を作っている。

そして、これを裏打ちするに、アメリカ人デューイの思想をもってし、それによって、社会通念を作り、さらに新学制をしき、以来、今日なおこれを大事にし続けている。それから二十年にもなる。

この日本国新憲法の前文は、千三百年もの間、仏教が言い続けてきたこととは正反対、それが、たった明治以来八十年でケロッと忘れてしまうというのはおかしいことです。

新憲法の前文では、人が、自己中心に行為する姿は尊厳であると言っている。こんな馬鹿なことを思う日本人があるはずがない。日本において、善行といえば、人のためにする行いであった。自己のためにするという匂いが少しでもすれば、日本人はそれに対して実に敏感であった。自分はエゴイスティックに振舞っても人に対してはそうであった。

それが、戦後わずか二年で、人が自己中心に行為する姿が尊厳である、などという作文のできる日本人がいるはずがないと思って、だんだん調べていってみると、進駐軍が示唆して、アメリカ憲法から取って文章を書き、これに日本国新憲法前文という標題をつけさせたらしい。戦後も進駐軍の示唆や命令ですし、戦後二十年の歴史は、この一つの事実によって要約できるくらいです。

で、私、これを一語一語、照らし合わせて確かめておこうと思っている。

法律以外の部分については、進駐軍は、デューイという人がいますが、この人の思想で裏打ちして、それによって社会通念、新学制を作れと命令した。

私は、デューイの著書を十一冊程、訳されているものだけ読みましたが、実に面白くない。この人は、全然、無学で野獣の如き思想の持ち主です。

そんなのを、日本は、唯々諾々として、その全てを受け入れ、そして今日に及んでいる。これを守り続けようとして、みな必死になっているのが現状です。

西独は、断固として、ヤンキー魂をもって、ドイツ魂に置き変えることを拒否した。

しかし、日本は、実に、これ以上ないという腰ぬけな態度でこれを受け入れた。だから、日本は、今、滅びそうになっている。物心両面ともに……。西独はそうではない。日本は何んという国だろうと思う。それ位、まだ知的訓練を受けてないということに思いを致して、一番はじめから考え直さなければいけないでしょう。

今日の日本の窮状をもたらした、今一人の人は、大隈重信である。

明治天皇がおいでになる間は、決して、首相になりようがなかったのに、亡くなられると共に、すぐ、大隈を首相に推薦した。これは元老のやったことですが、その大隈が内閣を作るや否や、中国に何十ケ条かの無法きわまる要求をつきつけた。それがきっぱりと拒絶され、その上、国辱記念日を作られてしまった。あの大きな、あの沢山の人口を擁する国の子供達が、みな、国辱記念日のもとで大きくなっていって、それが次の世代を作るようになる。

これは、誰が見ても恐ろしいことだが、近眼な軍部は、張作霖に無理な要求をして、聞かんというので暗殺した。満州事変はかくして起こった。

そしてズルズルと、結局は、史上最大の敗戦まで来てしまった。

この種子は、大隈重信が播いた。終戦後の日本が滅びそうになっている種子は、当時の首相が播いた。

考え直さなければいけない。全く、近視眼的にしか物がみられなくなっている。

## 人の座―前頭葉

日本の産業界は、最近、非常な躍進を遂げ、今や、工業生産力世界第三位といわれます。アメリカ、ソビエト、日本と実際大したものですが、しかし物を作っただけでは、国家の経済的繁栄はもたらされない。売りさばく方も、うまくやらなくてはならないだろうが、そこがどうなのか、非常に危うんでいます。で、近頃、実業界の内情にとても通じている人に会ったので、様子を聞いてみたところ、果して非常に悪い。

一口に言って、どんなふうか。例外はあるが、一般に、大会社になればなる程、その経営者例えば、社長さんは、自分はそうしてはいけないとわかるのだけど、それをしないではおれないのだと、こう言っているというのです。

実際、その言葉通りだとして、これはどういうことなのか、大脳生理学に聞いてみます。

大脳生理学のいうところによりますと、哺乳類には、本能とか、それに伴なう感情とかが時を誤り、度を過ごさないための自動調節装置というのがついている。

しかし、人にはそれが取り払われてしまっている。その代り、人には大脳前頭葉というものがある。動物で大脳前頭葉を持っているのは、人以外に猿があるが、猿のは、ごく発生当時で非常に小さく言うに足りない。

ちゃんとした大脳前頭葉をもっているのは人だけで、人は自動調節装置の代りに、この大脳前頭葉を使って、いけないものはいけないと知って抑止して、やらないようにする。人にはこの大脳前頭葉の抑止力があるのです。但し、自動調節装置は自ら働くが、抑止力は働かそうとしなければ働かない。人がこの抑止力を自主的に使わなかったら、人としての品位を維持することができない。のみならず動物よりはるかに下等なものになってしまう。

これが、医学の定説であって、これが定説になったのは前世紀のこと、以来、絶えず定説なんですが、ところが、デューイはこの定説を知らない。それで、快、不快によって判断せよというようなことを言っている。そして教育はその通りにやっている。

しかし、考えてみて下さい。快、不快によって判断するというのでは、一体どこに人の人たるところがありましょうか。大脳前頭葉の抑止力もなしで、これは獣類のすること、人のすべきことでは決してありません。

人というのは、してはならないとわかったことはしない。これが人の判断です。快、不快によって判断せよと言い、その通り教える教育なんて、もうメチャクチャです。

明治まで、日本の教育というものは、仏教にしろ、儒教にしろ、その反対ばかりやってきたのです。

もし、誰でも、完全に、快、不快によって判断し行為したら、あくる日から会社はクビになるでしょう。すべからざることはしない。その時は不愉快に決まっている。その時は不愉快だけれど、そうやって積重ねていけば心の安定が得られる。心の真の喜びが得られる。そうでなければ、心の安らぎを得られない、それが人です。

自分を深くふりかえってみたら、わかるでしょうが、今、教育は、快、不快によって、判断せよと教えている。それで生徒が不快そうな顔をすると止めてしまう。

今の教育は、全然といっていい程、意志の教育をやっていない。意志力のいることは、やる者にとってはいやなこと、だから、みんな抜いたらしい。

例えば、教えたものは覚えなくてはいけない。覚えるためには意志力が必ずいります。一番いるだろう。習ったものは覚えなければいけないと言えば一番意志の教育になるのです。意志の教育は使わすことによって発育させることですのに、それをいらないとしてしまう。覚えなくてすめば、まことに、子供は喜ぶ。その代り、これは、意志力を使わないので、全く意志の発育はない。試験は○×式で覚える必要はない。無茶です。

ですから、今の教育された者を見て、一番目立つことは、意志の教育を全部抜いてしまったなということです。これでは、意志力ばかりか、知力も働かないでしょう。

不思議なことに、情においては、無茶な情操教育をやっているのに、存外純情です。これは、日本という国柄が有難い情の国だからだろうと思ってます。

先程の社長さんですが、それがある故に、人の品性を失わない、という大脳前頭葉のブレーキが効かなくなってしまっているのでしょう。

これは、例えてみれば、ブレーキの効かないダンプカーが非常に多いということで、いくら自由主義の国でも、国はかようなものが自由に走り廻ることを、法律で止めなければならないと思うのですが、それをしていない。こういう現状だと、国内的には中小企業のような弱いものからの倒産が相次ぐでしょう。実に、悲惨です。

又、国際的にみますと、工業的生産力は世界第三位だというのに、国の富は一向増えない。

カッカツ黒字位で、今に赤字になるでしょう。

国として物質的に見て、もっともいけないことは、こんなふうだったら実業界でいくら働いてみても、少しも国のためにならないことがあきらかになれば、真我的な人であればあるほど、働くのが馬鹿らしくなって、働こうという気持が起こらなくなる。

そうすると、国は物質的に非常に衰える。これ、六道輪廻の一つです。今それが現われている。

## 畜生道の文明

ところで、こういう人に会いました。

畳屋さんですが、その人に私こう言った。「あなたは自分の一家が幸福であっても、隣の家が非常に不幸だったら、心から幸せだとは思えないでしょう」と。その畳屋さん、「そんなことがあるもんですか、隣りの家とは関係がない。自分の家が幸せであれば自分は幸せです」そう答えてきた。これは、言葉通りだとすると、一体どういうことになっているのだろう。

それで、人を振りかえってみるのですが、人は二十億年前に、地球上に単細胞生物として現われた。それから、十四億五千万年たって、今から五億五千万年前に魚類になった。そうしてはじめて、自分の肉体全部を愛することができるようになった。

それから四億五千万年たった、今から一億年前、哺乳類になった。そして、自分と自分のつれ合いと自分の子供を愛することができるようになった。

それから、ごく最近になって人になった。そうして初めて、動物の全部を愛することができるようになった。こういうふうに向上して来た。

哺乳類では、自分の家族までは愛するが、そのために闘いもするが、それ以上はいきません。これはわかってそうしないという、そのわかってのところがわからないのだからしかたない。しかし、人は違います。畳屋さんのいうのは哺乳類のするところで、これは人道中の畜生道です。

でも、気づいてみれば、日本が力こぶを入れてやっていることは、教育にしろ、大新聞の論調にしろ、選挙の時の投票の教え方にしろ、主婦連、その他団体の力こぶの入れ方にしろ、いわば、日本国民全体を畜生道に輪廻さそうとして努力しているとしか思えない。

気づいてみればそうです。そんなことせず、ただ、「たとえ自分が幸せであっても人が不幸であれば、自分は真から幸せとは思えない、それが人である。その傾向が強ければ強いほど真の人である」と、こう二言教えればそうなるのに。どうすれば良いか、どちらへ努力すれば良いか、全てわかってしまう。

それで終りです。それを、そうとは決して教えない。

アメリカはキリスト教があって緩和している。〃汝の隣人を愛せよ〃というから、隣りの人が不幸であって良いとは思わない。

といって、果して、それで人道へ止まれるかどうか。が、みすみす、畜生道にはならない。ところが、日本は、随分アメリカの真似をしているが、そのキリスト教だけ抜いてある。真似するなら、みんな真似しなきゃならない。都合の悪いところはみな抜いてある。それで得々としているのだから、いかに知的訓練を経ていないといえ、なんという愚かなことだろうか。

選挙なんかでも、自分の幸せのために一票を投ずる権利があるということを言っている。何ということですか。みんなの幸せのために一票を投ずる義務があるというならわかる。それなら人ですが、先のでは畜生です。畜生道へ近づいてくるとどうなるか。デューイの言ったように、快、不快によって判断する。

それから、幸福しか問題にしない。その幸福というのは、本能の満足です。日本はだんだんそうなって来てるでしょう。これは恐るべきことと思わなければなりません。物心両面の危なさがよくわかるでしょう。

日本は、今、大体、畜生道、餓鬼道の方向をとっている。戦前は、随分、修羅道、地獄道の方向だったから、少し良くなったと言えるかもしれないが、一番見るに耐えないのが畜生道、餓鬼道です。

それが、どうしてわからないのだろうか。国が滅びそうになっている。だから、一番はじめから考え直さなきゃいけないし、教育をどうすべきか、容易にわからない。その研究にこそ金を出すべきであるのに、万国博にうつつをぬかす。

この点でも、随分、馬鹿な民族です。日本は、中国から文明を取り入れた時も、何時もそうだったので、何も今度だけ急いでしたからなんて、本当は言えやしない。

そういう点、一向に知的訓練を経ていない。どうも心の民族であって、物質のことはわからんとみえます。大脳前頭葉、すでに物質で心ではありません。

心というのは真我、その真我へ無差別智が働く、これが知力です。この心の働きは、大脳前頭葉へ現われるからかまいやしないが、本当に頭はポンです。

人は上へあがれば心は存外賢いものである。だから、この心によって、切れない刀を使いこなさなくては、到底、駄目です。だから、心の働かなかった時の馬鹿さかげんといったらお話しにならない。日本民族は、物質界で働くための知的訓練は、まだ少しもしていないといっていいと思います。

今の文明の内容は生存競争です。みな、発明に真剣ですし、思った通り大発明ができると、その会社は非常な利益を得る。それは独占形態でやるから他の会社は倒れていく。

大体、こんなふうにして競ってやっていきますと、文明の内容は、医学とか、多少福祉はあるが、大多数は競走、それも熾烈極まりない生存競争となります。

人が、小我を自分だと思うようになると、人は一人一人個々別々であるようになる。それがわかってみれば、底知れず淋しい。これを感じることを〃無常を感じる〃といっている。それが、仏道へ入る正門だとされています。

欧米人は、そんなにシャープではないから、そこまではわからないが、なにしろ頼れるものは自分だけだと思いますから自と、文明の内容は生存競争になっていく。生存競争というのは獣類時代の特徴で、トカゲ時代はのんびりしていたのです。

だから、今、文明の内容が生存競争であるなら、実際は、まだ獣類時代であって、人類は単に形が出来ているというだけで、本当の人類時代はまだ来ていないといえます。しかも獣類時代のうち、いまくらい生存競争の熾烈な時はありません。それなのにそれも知らないでいる。科学にしても、あまり何もわかっていないのに、不幸にして、破壊力だけは非常によくわかっている。すでに、水素爆弾もできている。

だから、人類滅亡の危機は既に来ているのです。これを救うためには平和を教えなくてはいけない。平和とは何んでしょう。ようく考えて下さい。

〝真我が自分だ〟ということに目覚めなければ、真の平和なんかありはしません。人が、真我が自分だということに目覚めたら、生存競争なんて、そんな馬鹿なことは決してするものですか。真我的になってくると、動物は一切殺さないし、若草の芽さえ踏まない。こうだから、真の平和が来るのです。

それだのに、小我が自分だという旗印を高々と掲げて、それによって教えるなどという無茶をしている。そんなことは、絶やさせなくてはいけない。

このことを、日本民族に教えて人類を滅亡から救わなくてはいけないのです。

## 真我に目覚めるには

生命について、少しお話ししますと、生命とは真我が生きていることです。これは死なない。死なないから生命です。その根元は共通の心です。

普通、単細胞などという生物は、ひとひらの心の上に一粒の細胞が乗っている。人の場合は数多くの細胞が、ひとひらの心の上に乗っている。

だから、心（真我という生命）がよく働かなくなると、肉体の個々の細胞の生き方が調和を乱してしまう。だから、肉体は達者でも真の生命である真我が健全でないというような生き方をしていると、四十過ぎたら、何時癌になるかわからない、そんなことになってしまう。

肉体だけがどんなに良くても駄目、肉体は生命じゃない、生かされているのです。死なないのが生命、その生命は共通の心という源泉から来ています。

だから、人は、真我がよく働いて生きて、活き活きする。血色が良いばかりが活き活きするのではない。本当に活き活きするのです。真我が生命、それによって、人の細胞は生かされているものです。

だから、この真の生命が弱くなると、肉体に支障が起こってくる。医者はそんなこと知りません。あれは自然科学だから、いくら調べても癌の原因もわかりはしない。たとえ、わかったにしても治すことはできない。あれは、真の生命、真我が健全であれば決してかからぬ病気です。リズムが乱れる。で、勝手〳〵の細胞の生き方になってしまうのです。

まだ色々あるが、ともかく、小我を自分だと思うことがどんなに悪いことかがわかる。

今、よほど良く行っていると思う人、あるいは家庭、あるいは学校があっても、人道中の小我ではないかと思います。それなどはよほどいい。人道を守るということは実に難しい。それより真我を自分だと悟った方が、よっぽど早い。

さっき言ったように、ただ二言で済んでしまうのです。真我を自分と悟らなくては、なかなか、ああは思えない。努めてやるというのだったらひどく難しくなる。キリスト教は努めてやっていますけれど……。他人だけれども隣人を愛しましょうとはなかなかやれやしません。他人でないと知れば簡単です。

それで、真我に目覚めるにはどうすればよいかという問題が、又一つ付け加わるのですが、教育の場合、目覚めさすにはどうすれば良いかとなるから一段と難しくなる。これは事実として、忍耐強く積み重ねていかなくてはなりませんから、真我が自分だとわかる、あるいは、真我に目覚めはじめるというと、知・情・意がどう良くなるかということになります。これなんかも、逆に、知・情・意をそう導いて行くと真我に目覚めはじめさせることができる。

まず、情ですが、私、三十位の頃、三年ほどパリに居たのですが、日本においては水や空気のように不断あるから気づかないが、日本にあってフランスへ来たらないものがある。何か、非常に大切なもののうちにそういうものがある。一体、それは何んだろうという問題に突き当りました。

それで調べてみた。だんだん調べたんですが、フランスにセザンヌという大画家がいます。景色を非常によく書いている。しかし、セザンヌの風景画をじっと眺めていますと、何だか淋しくなって来る。

当時、丁度、対比する絵は知りませんでしたが、日本で、例えば、啄木だと

ふるさとの山に向いていうことなし

ふるさとの山はありがたきかな

こんなふうです。それは故郷だからだと言われるかもしれないが、セザンヌの書いた景色も故郷の景色です。また、芭蕉は、

旅人とわが名呼ばれん初時雨

こんなふうです。暖かく自然に抱かれている。見ていて淋しいとは思えません。

近頃、丁度、良い絵に出合ったんですが、熊谷守一という人があります。私、その時、初めてその名前見たのですが、その人の絵が新聞に写真で出ていた。双葉を十程と蟻を五、六匹、それを線書きしただけの絵ですが、見ていると不思議に心楽しくなってくる。何故そうなるかわからないけれども、その簡単な図柄を見ていると、不思議にそうなってくるのだから仕方ありません。こういうのを美というのです。

美とは、美しいということではない。

ところで、セザンヌの絵はこれと正反対です。で、少しわかり始めた。それで、人の関係をみたのですが、これはもっとはっきりしている。あとは実にわかりやすかった。

## 情のつながりと膚のつながり

フランスでは、ある数学の教授に世話になって、ある時、その教授に出しておいた論文に誤りがあることに気づいて、訂正を書いて出そうと思って郵便局へ行きました。

その時に、グッと、先日はあんなに歓待してくれたが、一体、そのどこまでが本心だろうか。そう思うと淋しくなってきました。フランス語の会話なんかを今、練習しているが、こんなものしたって何の役にもたたないだろうとも思った。

しかし、そのうちに、会話が役にたたないということは同じだが、あの人達は、自分でも、言っていることのどこまでが本心かはわからないのだろう、こう思って少し自ら慰めてそれまでもたれていた窓口を離れた。

そういう記憶がありますが、フランス人達は、彼らはお互い同士でもそうで、言葉を通さなくては心が通じ合わない。言葉が通じても、どこまでが本心かわかりやしない。そんなふうです。ところが、日本人の場合は違います。

よく言われることですが、西郷隆盛と勝海舟とは、江戸城明け渡しの時、大体、向い合って座っていただけで、ほんの二言、三言、言っただけといいます。これでわかった。

日本人は、人と人との間によく心が通じ合い、人と自然との間にも、よく心が通じ合うんですが、フランス人には、この通い合う心というものがない。

この通い合う心が〝情〟である。このことは、フランスにいるうちにつかまえたことだが、帰ってきてから、英米はどうだろうと思って和英をひいてみた。情とひきますと、フィーリングとかエモーションというものしかない。これは、意識の表層の波のようなもので、とても、深みのある通い合うという心の情ではない。ドイツでは、感情のことを取り扱っているのは、哲学者フィヒテですが、フィヒテの指す彼方にも情というものはない。

総じて、欧米には情という言葉がありません。日本民族は情でつながっていますが、欧米はどうかというと、集団欲という本能でつながっているのだというのです。

この集団欲の特徴は、スキンシップだという。スキンシップというのは、膚と膚の触れ合い、握手、接吻、抱擁、そういったものですが、そんなもので人がつながっている。

夫婦は愛情でつながっている。しかし、小我を自分だと思ってるから自他対立している。愛情というのもその間に動く感情であって、何かの時に、その愛は一瞬にして憎しみに変わる。仏教では、この感情を愛憎と言うのですが、欧米では、夫婦はこれでつながっている。

「私は、あなたを愛します」と絶えず言ったり、接吻、抱擁、そんなことを繰返してはやっとつながっている。そして、何とか言っては、さっさと別れてしまう。まるで、破れた草履のごとくお互いに捨てあう。

日本はそうではありません。情でつながっていて、情愛の離れ難きものがあるから、容易に夫婦別れなんてしない。こんなふうに違っている。

それから、これもやはりフランスにいる時思ったが、芭蕉の一門——これを蕉門といいますが、この蕉門の人達は、実に、良い句を詠むために生涯をかけている。全く生涯をかけて名句を読もうとしている。ところが、名句というのは、芭蕉のいうところによると、普通は、一句か二句、十句もあれば名人だという。

俳句は、五・七・五というような短詩形です。俳句は、今日、非常に良い句が詠めたと有頂天になっていても、明日はその反動でつまらないと思ってしょげるかもしれない。

こんな頼りないものの一、二句に生涯をかけるというのは、まるで薄氷に体重を託すようなものだ、そんな気がしました。

それで、何故だろうかということが知りたくて、芭蕉俳句集とか芭蕉七部集だとか芭蕉連句集とか――これらみな岩波文庫にあります。それから、芭蕉遺語集、これは改造文庫にありましたが、今では、赤ぞうし、黒ぞうし、外に何か二つほど書いてあったのが岩波文庫に出てますが、そういったものを日本から取り寄せて調べてみた。

調べてみたが、この問題は、フランスにいる間はわからなかった。日本に帰って、だんだんわかってきた。

どんなふうにわかったかといいますと、自然が人に伝わるのに二段階ある。最初は大脳側頭葉に伝わる。それは感覚としてわかるのです。自然とか人の世とか、外界が伝わるのに最初は感覚としてわかる。そして、その次に大脳前頭葉で受けとめる。この大脳前頭葉は、感情、意欲、創造の働きをする。創造とは、クリエートするという働きです。

普通、人が自分と思うのは小我、つまり肉体とその機能と申しましたが、もっとはっきり言いますと、自分の肉体、自分の感情、自分の意欲、それを自分と思う。それで非常に自我が強いと、自分の感情、自分の意欲という、その小さな感情、意欲が強くて、大脳前頭葉はそれで満たされてしまう。そんなところには人の世や自然のような大きいものは映らない。外界が伝わるのは、感覚までで止まる。欧米人は、自我が非常に強いからそうなる。

ところが日本人は——明治までの日本人は特にそうですが——真我が自分だと思ってれば、もちろん、自我なんてありませんし、そうでないにしても自我は非常に弱い。それで、大脳前頭葉にまで外界が伝わりうる。伝わりうる場合は、第二段階として大脳前頭葉で受けとめる。そうすると、情緒になるのです。情緒というのは、時として、非常に強い印象を与える。

もう、大分前になりますが、私、甥を一人可愛がっていました。非常に可愛がっていましたが、この甥が、中学四年の時、肺結核で死んだ。その死ぬという五分ぐらい前、私の眼をじっと見て、「潔さん、本当のことを言ってくれ、僕死ぬのか」とこう言った。私、何とも答えられなくて、じっと眼を見返していた。実に長かった。その眼の色彩り、印象が、いまだに色あせずに残っています。

これが情緒の印象で、時として、こんなに深いものです。ところで、フランス人なんかは感覚の世界に住んでいる。あそこでは、詩といえば感覚だと思っている。

私も、ついそう思ってしまった。五・七・五ぐらいを感覚で詠むと思ったから、さっきのように頼りないことになる。ところが、蕉門の俳句の内容は情緒です。情緒と感覚とどう違うかというと、今の印象でもわかるでしょう。

もっと、はっきり言うと、例えば、フランスは緯度が高いですから夏が愉快である。それで夏は愉快だが、冬は陰惨だという。これは好き嫌いと同じで、夏は好きだが冬は嫌いだというのです。晴れた日は好きだが、雨の日は嫌いだ。こんなふうになる。

日本人はそうではない。日本人は情緒の世界に住んでいるから、四季それぞれ良い。晴れた日、曇った日、雨の日、風の日、みなとりどり趣きがあって良い。こんなふうで全て良いとする。もっと違っているのは、感覚ですと、はじめは素晴しい景色だと思っても、二度目はそれ程だとも思わず、三度目は何んとも思わない。こうなっていく。感覚は刺激であって、刺激は同じ効果を得るためには、だんだん強くしていかなくてはならなくなります。

ところが情緒ですと、そうではない。

例えば、時雨ですが、大体、情緒でなければ時雨の良さはわからないが、時雨のよさがわかり始めると好きになる。聴けば聴くほど、だんだん良さがわかっていく。そうするとだんだん好きになっていく。そうして、良さがわかり好きになっていってきりがない。

芭蕉一門の人達は、時雨というものを実に喜んでいる。我々のごく少数の人が、蘭の花を珍重するように時雨を喜んで、〃時雨は俳諧の眉目なり〃というようなことを言って、限りなく愛するようになる。これが情緒です。そんなふうだから、五・七・五でも、ただの二句でも不思議ではありません。

一旦、良い句と思ったら悪いとは思わない。だんだん好きになるだけです。又、そう、うっかり良い句だとは思わない。又、ただ二句だということも、もっともだし、十分だ、そう思うに不思議もない。これが情緒です。

## 大和乙女の恋

終戦後、五年ほどして亡くなった人に、折口信夫という人がある。彼は非常に偉い国文学者、民俗学者で、とても上手な歌詠みでしたが、この人が、

大和（やまと）少女（おとめ）よ、大和少女の恋をせよ

と言い残している。大和少女の恋というのは何かというと、情緒が内容である恋、ということ

で、感覚が内容であってはならないというのです。

実際、江戸娘なんかは、うまくいかなかった場合、恋わずらいで死んだりした。一目見ただけで情が通じ合いますから、時として、一目相見てその印象が強く焼きつく。そうなると、家に帰ってからも前頭葉は灼熱的にその人を求める。しかし、身近にその人はいない。

こうなると、情緒の中心の調和がまるで壊れてしまう。情緒の中心は、全身を支配しているから全身の調和がうまくいかなくなる。

とりわけ、胃は全く狂ってしまって、全然食物を受けつけない。それでいつまでも、そういう不幸な状態、求める人が外界にいない、しかし、求める方はやめないという状態が続くと、飲みものも受けつけないから、短時間に弱っていってついに死んでしまう。江戸娘の恋わずらいの死に方です。

ところが、明治になって、物質主義が入ってきた。女性の情緒も濁って、それ以後、恋わずらいで死んだというのを聞いたことがない。薬なんか使うのは別ですが……。

漱石は、文学は男女の恋愛を除いたら淋し過ぎて成り立たない、こう言ってます。

漱石の恋愛物で一番面白く書けているのは、「それから」ですが、あれは全篇情緒であって感覚は少しも入っていない。

しかるに、近頃の文士の中には、恋愛は性本能の満足であるかのように考えている人が、割合多いのではないかと想像します。折口さんはそれが言いたかったのです。

真我を自分と悟ると、いやでも情緒の世界に住むが、小我を自分と思うと感覚の世界に住まざるをえない。

実際、セザンヌの絵、あれは感覚だから淋しくなる。熊谷守一さんのようなのは、情緒だから見ていて楽しくなる。生命が律動しているから楽しくなる。そんなふうに変る。

それで、こう思うんです。情緒の世界に住むのでなくては、真の幸福というものはない。男女とも。特に、女性がそうです。だから、幸せが問題なら真我でなくてはいけない。

## 知—創造は無差別智から

次に〝知〟ですが、一つだけお話しします。

クリエーション、創造というものが、やかましく言われていますから、それだけを問題にしますが、実際、これがうまくいかなかったならば、産業は発展しない。

例えば、アメリカは金があるから、アメリカへ売ると決めて物を作るとします。アメリカへ売るのだから、アメリカの特許を使って作った機械をアメリカ人が買うはずがない。それだから、発明発見の発明のところを余程しっかりしなくてはならない。これ創造力です。創造という働きは情緒を形に表わす。広義に解すれば、人の動作はみな創造です。

しかし、教育でいう創造というのは狭義のもので、即ち意識的創造です。この創造は、大脳前頭葉がやっているところで、西洋人はこれについて何故できるかを知らないが、知らないながらに創造という働きをやっている。そして、創造されたものを尊重するということを、実によくやっている。日本はもっとそれを見習わなくてはいけない。

オリジナルなものを生み出すのは、天才でなければできないということも彼らはよく知っている。誰でも出来るものではない。日本はそれも知らない。生み出すという働きは、生み出すものを持って生まれてきた人だけにできる。教えてなるものでない。天才は生まれるものであって、作られるものではないのです。これを知らなくてはいけません。しかし、そこまでいかなくても、知的な働きを良くするということ、これはできる。

フランスに、アンリー・ポアンカレーという大数学者があったが、この人の著書に、「科学と方法」というのがあって、その第一章に、「数学上の発見」というのがある。

そこで、ポアンカレーは、自分の体験をいろいろ書きつらねてこう言っている。数学上の発見というのは、理性的努力を欠いてはできるものでない。しかし、理性的努力をした時と発見が行われる時との間には、大抵、相当な時間があいている。いつ起こるかわからない。又、その方向は理性が予想したのとは、主に、違った方向の解決であることが多い。つまり、方向が予知できない。意外な方向の解決である。

第三に、発見は一時にパッとわかってしまう。この三種類の特徴を備えている。

一体、これは如何なる知力の働きか、不思議である、とそう言っている。

これは、西洋文化の本質に触れた問題ですから、フランス心理学界が、直ちにこの著書を問題にして、当時の世界の大数学者達に、「あなたはどういうやり方で、数学の研究をしていますか」という問い合わせの手紙を出した。

その結果、大多数の答えは、ポアンカレーが言っているのと一致したというのです。

それで西洋文化の中心である問題は確立したんですが、解決に向っては、一歩も近づかない。

今日、なお未解決のままです。私も、実際、数学をやりまして、何度も体験してよく知っています。数学上の発見がどういうものであるかをです。

又、仏教によって、無差別智というものがあって、更に、それがどういうものかよく知っています。

それで言うわけですが、数学上の発見は、無差別智の働きによって起こるのです。学問上の発明発見、芸術上の創作、みな、大体同じ方向のものと思います。

で、クリエーション、創造をよく働かすようにするには、無差別智がよく働くようにすればいい。この無差別智はどこへ働くかというと、真我です。小我というのは迷いです。

迷いとは、どういうことか。

道元禅師に聞いてみますと、道元禅師は、人は、普通、生の位、死の位、又、生の位、死の位と、こもごも踏んでいくのだと言っております。

生の位というのは、人は肉体をもって生きることを余儀なくされているが、そうすると肉体を使えるという便利さはある。その代り、肉体に邪魔されて知覚がよく働かないという不便さもある。

死の位にはそれがない。肉体を使えませんから、よく知覚作用が働く。働けば、それに応じた情緒が起こる。これは、真我に起こるのであって、小我は入らない。で、よくわかって、よく情緒が起こるのは死の位です。生の位は、それがあまりよくわからない代りに、肉体が使えるということがある。

単に、それは肉体を持たされているだけではなくて、肉体にはいろいろの本能があって、それも一緒に持たされているということなのです。その本能として、大脳生理があげているのは食欲、性欲、集団欲、睡眠欲と、それだけです。

しかし、それ以外に、怠けたいという本能がある。自己保存の本能のうちだと思うが、これがなくては、肉体をすぐすり減らしてしまう。その代り、この本能が働いたままでは冴えた働きはできない。これはやはり、抑えなくては冴えた働きはできません。

更に、これらの根本になる本能がある。ごく大ざっぱに話しますが、これは自己中心、自分の肉体中心に、知情意し、行為しようとする本能で、これを〝無明〟という。これが根本の本能で、これを本流とする分流が諸本能となるのです。

無差別智は真我に働く。即ち、無明が薄ければ薄いほどよく働くということになります。

だから、よくこのおれが、おれがという感情があると、クリエーション、創造がよく働くと思う人が多いようですが、あれは創造でない。工夫考案であって、それは側頭葉でできる。しかし、そこまでです。生み出すという働きは、前頭葉でなければできない。創造は、そんなものが働いてはできないものです。

よく言うのですが、私、数学の研究に打ちこんでいる時は、虫も動物も殺さない。植物も若草の芽も踏まない。そんな心になるのは、無差別智が真我に働くからです。

こう言っても、それはあなたの主観で確めようがないと言うでしょう。

確かめようのあるところを一つ言いましょう。

非常な高僧は別ですが、普通の人で無差別智が一番よく働く時期は、人の一生のうちで生まれて三カ年間です。私は、これを童心の時期と言っています。人は、この三カ年の間に家庭という環境から、そっくりそのままとって自分の中心を作る。

だから、その間、家庭という環境を本当によくするようにせよ、というのが医学の注意ですが、そんな大したことを何がするのかというと無差別智がする。

どうして、こんなによく働くのかというと、この時は、まだ自我というものができていないからです。自我というのは、小我と真我との雑ったものですが、これができていないから、無明はすでに働いているのだが、小我というほどまとまって働かないのです。自我ができるのは、それにひきつづく三カ年の間です。これが全く出来てない時だから、ひどく無差別智がよく働いて環境からそっくりそのままとって自分の中核を造る、というような大きな働きをするのです。これがその後もずっと働いてくれたら大変やり易いが、そうはいかない。

非常な高僧は別で、後のほうがかえってよく働くというわけですが、普通の人はそうはいかない。これは、客観的に確め得る事実ですが、この一事でもって、無差別智がよく働くようにするには、真我になればなるほど良いということがわかるでしょう。

もっと、大切なことは、創造力のよく働く人を造るにはどうすれば良いかということでしょう。そういう素材を選んで磨き上げるには、磨き上げ方もさることながら、人をそうするその仕方はどうすればよいかというと、真我的な人を選べば良いのです。

日本の経済界が、産業に自信をもつためには、日本民族は創造力、クリエーションの力が、よく働く民族だということに自信をもつことです。

どうして、そう言い切れるかというと、明治以後、間違えて、小我が自分だ、お前だと教えたにもかかわらず、いざ戦争となると、日本民族の一人であることに目覚めて、多くの若人が桜の花の散る如くきれいに散っていった。十分控え目にみても、その一割ぐらいが死をみること帰するが如く死んでいったに違いないと思う。

死をみること帰するが如く死ぬことができるのは、真我に目覚めた人にしてはじめてできることです。これが相当数ある。そんな民族だから、民族全体としてみた時には、よくクリエーションの力が働くというのです。

しかし、これは民族全体としてであって、今度の戦争でも、みんながそんな死方をしたのではありません。それでも、民族全体として、国全体として見た時、相当なパーセンテージになる。そういう人達が、本当の大発明をやってくれれば、それで十分国家の経済的繁栄は期し得られるのです。

こういうのは、国全体として考えなくては成り立たないのです。

一般の個人個人についていえば、知力といわれるものがよく働いて、大局がわかったり、深く洞察できたり、物の心がわかったり、そういうものは真我に近づき、無明が薄くなるほど、良く働くのです。これも大事ですが、素晴しい大発明をするところまでいけるかどうかはわからない。そんなにいけなくても、一般の人はそれでよい。むしろ、情のところで大いにこれを助け、それからもう一つは、意志のところで大いに働いてもらいたい。

クリエートするという働きは、西洋流にいえば、自由な心の働きということになる。自由な心というのはどういうことであるかと言うと、束縛されない心ということです。ではどうして束縛を逃れるのが良いか。情熱によるのが一番良い。

## 意──一つの心になる

それから、学問には、芸術と同じく生みの悩みというのがあります。これは、最初生む時、生み出すという働きで生みの悩みというものを経験する。

芸術については、佐藤春夫が、「田園の憂鬱」で良く書いている。あれが、玄人筋に受けるというのは、生まれ出ずる悩みが良く書けてあるからです。これをどうして乗り越えるかというと、後に言いますように、強靱な意志の働きによるのです。

ところで、情熱とか強靱な意志の働きとかいうものは、ある一つの集団、会社なら会社が一つの心になってゆくと働かしやすい。

で、一般の人々は、こういうところで助けるのが良いのです。一つの心になって情熱を燃やすとよく燃える。又、一つの心になっていると強靱な意志力は働かしやすい。こういうところで、ごく少数の人の創造を助けるとよい。心を合わせてやるべきことです。

誰もが、桜の花の散る如く散れなかったと同様で、誰もが、そう易々と大発明できるものではない。同じことです。現に、死ねなかったんだからしかたない。華々しくも余儀なく死んでいった人がかなりある。それで十分、産業立国ができると思います。すぐれた物を作って、日本は金がないのだから、金のあるアメリカへ売ることが可能になる。その時、情熱を燃やす、強靱な意志を働かすというところで大いに助ければよいのです。一般の人は、そうすべきです。これは一人ではなかなかやれない。一人で情熱を燃やすということと、共通になっているところで情熱を燃やすのと、まるで違う。

薪が一本燃えるのと、燃えさかっているところへくべるのと違うように……。強靱な意志力においても想像がつくでしょう。

意志力についていいますと、強靱な意志力は真我の意志です。

これは形容だけにしておきます。

岩の上に松の種子が落ちる。その松の種子は、不運をかこたないで、できるだけの努力をして、少しですが、固い岩に根をおろす。そうすると、雨の水がしみこみ、冬になると氷る。そうすると膨脹して岩が少し割れる。翌年は、もう少し根を差し込む。そうすると雨の水がよくしみこむ。冬が来て氷る。又膨脹して割れる。更に翌年は、もう少しよけい根を差し込む。こんなふうに根気よく、来る年も来る年もやって行く。そうすると、さしもの大岩もついに真二つに割れて、松は大地に根を降ろし、その幹は亭々として空にそびえる。

こんな景色に海岸でよくお出合いになるでしょう。これ強靱な意志そっくりです。

これは、一人でやるよりも、会社なら会社全体が心を合わせてやるととてもやり易い。

現に、日本はそれを軍国主義に使ってきたのです。それを平和に使えば良い。

## 日本民族の心に目覚めよ

では、真我が自分だということに目覚めるには、どうすれば一番早いか、そして、確実かということです。幸い、日本民族は心の民族で、その中核の人達は、自分が心であるということを初めから知っているらしい。

大体、日本民族は、天御中主命（あめのみなかぬしのみこと）から数えると、三十万年にはなると思う。――人類あって以来六十万年〜百万年とも言われていますが――それが物質が自分ではなく、心が自分だと初めから気づいているというのは実に早い。

だから、日本民族は、私は、他の星から来たのだろうと思います。ともかく、日本民族の中核の人は心が自分だと思っている。だから日本民族は心の民族です。心は合わされば一つになる。これが心の民族の特徴です。

日本人は日本民族の心というものの、この強い力にひかれて、だんだんそうなっていくのです。これが同化作用ですが、その同化の度があまり進んでない、十分同化してないのです。

しかし、そういう人達だと、自分が日本民族の一人だということに、本当に目覚めることは簡単にできる。それで、真我に目覚めたことになっている。これが一番早い。

その後、深めるには、仏道の修行とか、いろいろといるのですが、まず、目覚めるには日本民族の一人であるということに目覚めるのは、極めて早くできる。それで、既に、真我に目覚めたことになる。これが一番早い。

だから、子供を真我に目覚めさせようと思えば、民族の詩であり歌である歴史を教えるということが、何にも増して大事なことだと思う。

この頃の教育では、日本民族はつまらない民族で、前にやっていたことは、みな間違っているから、アメリカのようにやらなくてはいけないと教えているように見えるが、日本民族が真実、そんなつまらん民族なら、千年や二千年教えたところで、大脳前頭葉という道具は、それほど発育しやしません。

まして、その大脳前頭葉を使っていく心がそんなにきれいになるとは思われません。到底、千年や二千年の教育では間に合わない。教育がすぐ効果を上げようというのだったら、その民族は優れた民族でなくてはならない。

但し、その優れ方に様々あるでしょう。だから、自分の優れたところに、早く目覚めるように子供を教えるのがよい。目覚めれば、あと力がついてやれます。

教育の方針は、国によって民族によって別であるべきだと思います。日本民族の場合、真我に目覚めやすいということが長所ですから、早く、真我に目覚めさすように教えなければいけない。

大体、日本民族は優れた民族であるだけでなく、人類をその滅亡から救うという重い使命を担わされている。私達は何よりもそれを自覚し、そうであることに誇りをもたなければならないのです。

でなくては、教育はできない、そう思います。

（一九六七・一二・六　大阪市・北陵中学校にて）

# 歴史にみる日本の心

## 真我の人・芭蕉

明治以後、いろんなものを西洋から取り入れましたが、なかんずく自然科学においてはこれを過信してしまいました。そのために物質によって、全てが説明できると思ってしまったようです。

これを人間についていえば、五尺の体を自分だと思ったのです。これを小我と言います。明治以後の日本人で、自分といえば五尺の体のことだと思わない人は、ほとんどない。芥川もそう思った。しかし、これはあくまで小我です。

自分を小我だと思うと、二人の人の関係は他人ということになります。つまり、人は一人一人個々別々なものと思う。個々別々の人の世というものは、わかってみれば底知れず淋しいものです。この小我の世界に対して真我の世界があります。小我と真我とはどう違うか、その分かれ目のところが非常に大切なことです。これを歌で見てみます。

山吹や笠に指すべき枝のなり

これはもちろん芭蕉ですが、この意味は、知らない人の庭の山吹がゆかしい、というくらいのものです。これを流れる基調の情緒は、懐かしさの情緒で心の底は暖かい。ところが、芥川は例によってこれを、人の世の底知れぬ淋しさととっています。そして「越し人」という表題をつけて

哀れあわれ旅人は
何時かは心安らはん
垣穂を見れば山吹や
笠に指すべき枝のなり

と詠っている。「越し人」というのは越しの国の人、つまり裏日本の人という意味ですが、ここでは奥の細道の旅人を指している。つまり芭蕉を指しているわけです。芥川には、芭蕉が、こんなふうな生き方をしたとしか思えなかった。それでどうしても芭蕉の了見がわからなかった。それで芥川は芭蕉のことを、クソヤケ道を歩いた大山師であると言っている。先程の歌を芥川が詠ったようにしかとれなかったとしたら、そう思うのは当りまえでしょう。結局、芥川は芭蕉の奥の細道の旅を、彼が詠ったように、淋しいものとしかとれなかったのです。

芭蕉は大我の人、真我の人です。従って、句にもそれが表われています。ところがそれを、自分を小我としか思えない明治以後の人には、芥川がとったと同じようにしかとれなかった。それも芥川ほどの文才の優れた人だから、はっきり言ってくれてるのですが……。ともかくこんなにも明治以前の日本人と、明治以後の日本人とでは変ってしまっている。

例えば、昔の日本の都市は、知らない故に懐かしい、という情緒の基盤の上に立ってできたものです。だから江戸は江戸の町、京は京の町、難波は難波の町とそれぞれの個性がある。これが創造の喜びだというのです。つまり生命の発露です。

ところがこの頃は、東海道を旅してみますと、東京、大阪、名古屋と千編一律です。まるで便所か墓場のようです。芥川のようなとり方をするそんな心の基盤の上には、このような画一的な都市しか作れないということでしょう。つまり生きる喜びというのが表われない。ここで違ってくるのです。

秋深き隣は何をする人ぞ

これも芭蕉の句ですが、これは雄勁雄大にして喜びに満つというふうにいえます。つまり神代調が出てきているわけです。いったん中国やインドから濁りが入って人心が濁ってしまい、神代調は失われたんですが、それを戦国時代というやり方で思いっきり強く振り回した。世が治まると濁りは底に沈み、上の水は澄んできます。するとただちに、芭蕉にみますように神代調が出てきている。この雄勁雄大にして喜びに満ちているというこの色彩りが、日本民族の心の基調の色彩りだ、とそう思えるのです。

ではは日本人はどんなふうな行為をしてきたか。神代調の色彩りが非常によく出ている句で見ますと、まず、上代。これは神代調だったと思います。

それから一つ例をとりますと、応神天皇の末の皇子に菟道稚郎子(うじのわきいらつこ)という方がある。この方は自分が生きていては天皇にならなければならないという理由によって、自殺しておしまいになった。実にこれは崇高だと思います。これはちょっとできない。こういうのを解脱した人の行為というのだろうと思います。

自然や人の世が喜んでおれば、自分はとても嬉しいという心です。それだけがエッセンシャル、つまり意味のあることである。その外のことはトリビアルであって、どうでもいいことだといえます。このどうでもいいことを〝無〟とみてしまう。それが解脱した人です。自然や人の世が喜んでいれば自分は大変嬉しい、そしてそれだけが意味のある重要なことなのだということを、本当にわかっていなければ、ああいう行為はできない。芭蕉の春雨の句で申しますと、菟道稚郎子は春雨であって、その方が自殺なさったために仁徳天皇がお立ちになったんですがその仁徳天皇は、

たかきやに登りて見れば煙り立つ民の竈はにぎわいにけり

こういう歌をお詠みになっています。仁徳天皇や竈の民は、春雨にはぐくまれて延びた道の草です。中国の孔子・老子の教えに、草をはやすはこれ天の道、草を除くはこれ人の道という言葉がありますが、菟道稚郎子のなされ方が、天の道といえます。こういう行為のできるのが、本当に強い人です。

武士なんかは、心は弱々しい。外面強そうなだけです。天皇にされてしまうから、という理由から死んでみせることができなければ、とても強いとはいえません。そういう武士達の時を経て、芭蕉のところで再び神代調が出てくる。思いっきり振り回したのでしょう。そして、ぢっと置いて澄ましたのでしょう。もっとも芭蕉は先に澄んだのでして、みんなそんなに早く澄んだとは言えないと思いますが……。芭蕉の頃の、伊勢の参宮のあり方を、芭蕉門下の人達の連句から見てみます。

春めくや人さまざまの伊勢参り
参宮といえば盗みもゆるしけり

とあります。この時の人達が、伊勢の内宮に喜々として慕い寄るさまが手にとるように見えるようです。生きているうちに、一度お伊勢様へ参って、それから死にたいとみんな言っていたのでしょう。芭蕉の頃は、そんなふうだった。

## 竜馬・その人柄と行動

徳川時代になって、一度、世が治まった。治まったには治まったに違いないが、後でよく見ますと徳川幕府の戦乱の治め方は、まことに人工的で不自然な無理なものだったといえます。後、すでに神代調が戻っていますから、そういうあり方が、到底、いつまでも続くわけにはいかなかった。それで自壊して明治維新になります。

濁りが入ってそれを澄ますために、濁り水を思いっきり強く振り回した。これが戦国時代だと言いましたが、こういうことをしたために、武士階級というものが出てきて、武士道というものができた。この江戸幕府というものが自壊して明治維新になるのですけれど、もし、あの時に明治維新ということが成就していなかったとしたら、日本は滅びていたに違いないと思います。

この明治維新を成就するについて、非常に多くの武士道の人達が命を捨てています。しかし、単に、そういう人達が働いただけではありません。例えばどういう人達が、どう働いたかといえば、坂本竜馬という人があります。

竜馬のしたことを一口にいえば、二つあります。その一つは薩摩と長州と手を握らせたということ、これによって倒幕のための兵力的な基礎ができたわけです。もう一つは、大政奉還ということを考え出したこと。これを自ら説き、人にも説かせた。

たとえば後藤象二郎、彼にしきりに説かせたりしています。そして竜馬のこの大政奉還の片棒を、十五代将軍である徳川慶喜がかついで、大政を奉還してしまいました。ですから大政奉還はこの二人でやったようなものです。これによって政事は、朝廷でやるということになりました。

次に、どんなふうに政府を作るかということについて、西郷隆盛が坂本竜馬に相談しますと竜馬は、上に関白というものを置く。場合によったらこれに副関白というものを添えて、その下に議政というのと参与というのを置けばいい、こう言っております。後に実際、政府ができた時に、この竜馬の案と違っているのは、関白・副関白という名称を太政大臣・右大臣と変えただけでその通りになっています。その時に西郷は、なお、実際にどういう人達をそれに当てるか、という人選についても聞いたところ、それについて竜馬が書いたのを見ますと、参与のところに竜馬の名前がありません。

それで西郷が、「坂本君、君は何をやるか」と聞くと、竜馬はそういう役職につく考えは、さらさらない旨を言っています。その時、その場の有様を陸奥宗光が見ていて、大人物と言われた西郷隆盛より、竜馬は二倍も三倍も大きく見えた、そう宗光は語っていたと言います。

またその時に、西郷は財政を受けもつ人物がいないのだが、君、心あたりはないのかと聞くと、竜馬はそのために三岡八郎というのを参与に書いておいたのだと言って、なお、実際に竜馬自身が越前へ行って三岡八郎に話をし、松平公と新政府に三岡八郎を申し受ける約束もしています。そうやって新政府の献立が全てできたわけですが、竜馬はそれから二日もたたないうちに暗殺されて死んでいます。つまり、やるべきことを全てやって死んでいる。竜馬もまた、解脱した人というべきです。

竜馬は新政府建設に力をつくしましたが、彼にとっては、新政府のできることがあくまでも大事なのであって、その新政府のメンバーの一人に、自分が加わるか加わらないかということは、全然問題でなかったのです。

こういう解脱した人は、時々じかに生まれてきて、するだけのことをしてしまうと、また、さっさと帰っていく。神代調が出るような世の中になっていると、こういう人物が出るもののようです。

菟道稚郎子は、何をするために生まれておいでになったのかといいますと、世に範を示すためです。

竜馬はどうかといいますと、日本を滅亡から救うために生まれてきたということです。菟道稚郎子は自殺なさったのだから、するだけのことがすんだらさっさと帰ったといえるけれど、竜馬の方は、暗殺されたではないかというかもしれませんが、自殺すると暗殺されるとを区別するようでは、全然、解脱しているとはいえません。名などはどっちだって同じことで、その方法が自殺でも暗殺でもかまわない。同じことです。

## 明治文学者の心

明治以後、日本は著しく物質というものではっきり固めてしまい、自分の肉体とその働き、あるいは機能とが自分である、などと思うようになりました。それまでも大分、小我的なところがあるにはあったのですが、明治以後には、だんだん、そうとしか思わないようになって非常に小我的になっています。小我的になっていって、しかもこれが、しまいに小我以外、知らないようになってしまったようです。

こんなふうですから明治以後の日本の文学が、歌、俳句と限らず、文学全体を通じてみても雄勁雄大にして喜びに満ちている、というものが一つもないのです。喜怒哀楽の〝喜〟などというのは、小さな喜びはあっても大いなる湧きいずる喜びというものがない。

ちなみに、大いなる喜びというのは、どういうものでありましょうか。

うち靡(なび)く春来たるらし山の際(ま)の遠き木末(こぬれ)の咲きゆく見れば

この中には、湧きいずる喜びの情緒があります。これは、尾張連(おわりのむらじ)が詠んだといいます。尾張連というのは、一般の人のような者ですから、この頃には、大抵、みんながこんなふうに思っていたのでしょう。春が来て桜がパーッと咲いている。これが即ち、自分の喜びだったわけです。こういうのが大いなる喜びです。

明治以後には、この大いなる喜びの文学というものがない。優れた文学があるにはありますが、それは大体が、哀しみと苦しみの文学でしかありません。例えば、漱石のは苦しみの文学、芥川のは淋しさの文学、哀しみの文学と言ってもいいのです。石川啄木の歌、これも哀しみの歌ですし、斎藤茂吉は道外といったふうです。

おのづから寂しくもあるかゆふぐれて雲は大きく谿に沈みぬ

茂吉の歌ですが、これは言葉使いは万葉でも、しかし、調子がどこやら万葉じゃありません。

うち靡く春来たるらし山の際の遠き木末の咲きゆく見れば

おのづから寂しくもあるかゆふぐれて雲は大きく谿に沈みぬ

こう比べてみるとどこやら違います。どこが違うのかと思ってよく聴いてみますと、茂吉の歌は自他対立している。万葉の歌は決して自他対立していない。それが即ち、自分の喜びになっているのです。

たまきはる宇智(うち)の大野(おほぬ)に馬並(うまな)めて朝踏ますらむその草深野(くさふかぬ)

自分が馬に乗ってパーッと走る。と、それが即ち心の表われだということになります。ですから自分はここにあって、というのではありません。それが茂吉の場合は、自分と物とはあっちとこっちにあって自他対立しているのです。茂吉は医者だったから、よけいそうなるのでしょう。自他対立しますから、どうしても淋しく調子が弱くなってしまいます。ですからこんなのはとれない。あと石川啄木ということになるけれど、啄木になるとますます悲しみの色が濃くなる。

こうやって明治以後のものを見てみると、歌・俳句はもちろんのことですが、ともかく苦しみ哀しみの文学に優れたものはあっても、喜びの文学というものはありません。これを創作一般のものにまで拡げてみても、大いなる喜びというのがみられない。

文学というのは、一番ごまかしのきかない心がそのまま鋭敏に出るものですから、明治以後の文学に大いなる喜びというものが出ていなければ、明治以後の日本の学問はもとより、まして政治・経済に大いなる喜びというものはないと思う外ないでしょう。事実、歴史を辿ってみてもないのです。歌・俳句を主にしてみると、大体、そういうふうに見られます。

解脱した人はじかに生まれてきて、また、すぐに帰っていくのだと言いましたが、ではどこから生まれてきて、どこへ帰っていくのでしょう。

道元禅師は、人は〝生の位〟というのがあって、真我というものは決して死なないと言っています。仏教ではそう言います。この考えでいくと、本当の自分というのは、決して死なないということになる。更に、道元禅師は人は生の位、死の位、こもごも踏んでいくのだと、こう言っておられます。

ところで解脱した人の死の位というのは、これは肉体がありません。真我だけです。ですから真我というのは肉体がない。それでひどく恐ろしく無碍無在を窮めたものだろうと思います。それが解脱してなかったら、生に対する執着が残りますから、そうはいかない。この解脱した人は高天原（たかまがはら）から生まれてきて、また、そこへ帰って行ったのだと思います。

## 乱世の統治者

日本民族の動き方を歴史によってよく見ますと、天（これからは高天原の神という言葉を使わずに、簡単に天という言い方をします）の筋書き通りに動いているように見えます。日本民族の心の基調の色彩りは、神代調であるということを知っていただきたいと思います。ですから雄勁雄大にして喜びに満ちているように教えたら良いわけで、こせこせしてセンチメンタルに教えたら駄目です。

日本民族というのは、全体を一つと見てますし長い目で見てますから、そういう見方をすると、どうしても日本民族というのは、天の筋書き通りに歴史していっているように見えます。このことを見るのに、どこを見れば良いかというと、一番変動の激しかった時代、即ち、大いに乱れに乱れた世が治まった頃、戦国時代をみればよいでしょう。あの乱世を治めたのは天です。

戦国時代を治めるために天は、三人の英雄——信長・秀吉・家康らを次々に生まれさせたのです。日本歴史上、どの時代の英雄を求めてみましても、この三人の上をゆくものはないでしょう。それほどの英雄達が、これはほとんど同時代に生まれている。次々に生まれて、激変する時代の主役を、それも全然異質な形においてそれぞれ演じてますが、生まれた時期は大体、同じ時です。まず、信長が生まれ、それから二年たって秀吉が、更に六年たって家康が生まれている。合わせても十年にならないうちに三人が生まれているわけです。このことをとってみても、偶然というには余りに偶然すぎます。しかも三人が三様、演じた役割が全く違う。性格と言ってもいいが、全く違います。

たとえて、天下というものをクズ鉄か何かに見てみますと、信長は打ち砕く人、秀吉は溶かす人、家康は固める人、そういう感じです。三者、人の色彩りが全く異っている。これもまた妙です、その偶然性が……。これは筋書きを書くものがあって、天でそれが書かれ、人がその筋書き通りに踊ったのだと見るのが当るようです。そう考えると頷けますが、これを偶然だとするとわからない。あの時代にはこの三人が出なければ、世は治まらなかったでしょう。とすれば、これを単に偶然と考えますと、こんな偶然が起こってあの乱世の治まったということが余りに偶然すぎるではありませんか。

天が筋書きを書いて、そしてそれに合わせて人が踊るのだと思うのです、とこう言うと人は大抵、疑ったりしますが、果してそうでしょうか。

例えば、自然を素直な心で見てごらんなさい。自然科学はこう言っています。植物に葉緑素というものがあって、それで同化作用という働きを営み、含水炭素というものができてくる。自然科学はこれまで説明しています。そしてそれであたかも全部わかったように思い、みんなもそう躾られてるようですが、ところが実際は、不思議なのはそれから後です。柳の含水炭素は、どこにどう使っても適々、ことごとく柳になる。松の含水炭素は、どこにどう使っても、適々、松になります。

人もその通りです。全体として長い目で見たら、松や柳とどこも違っていない。天の筋書き通りに動いている、作用しているのです。そうなっている。ですから、私達の経験して知っている自然と、私達も同じようなものです、人間だけはそうでない、と言い張ろうと無理をしますけれど、そうすることの方が無理です。

全て、考えてみればみるほど、私には天が筋書きを書いた通り、特に英雄達においては、舞台の上で演技させたのだとしか思えないのです。客観的に全く無心になってみればそう見えるわけですから、そんなふうにこの三人を見てみましょう。これは、教育と関係があることだと思います。

## (一) 打ち砕く人・信長

天がこの三人に対して一番骨折ったのは、教育のところです。まず信長を最も適当な所に、生まれさせなければなりません。それで尾張の領主、織田信秀の長子に生まれさせた。織田信秀は、なかなかの俊傑です。相当、偉かった。そして尊皇の心がありました。この信秀の所に生まれて小さい時、信長はどんなふうにして育ったかということですが、信長が数え年十六になった時信秀が死んでいます。その時に、仏前で焼香をする信長の有様をよく見ればよいでしょう。

信長は頭を茶筅ふうに結っていた。毛をひとところに束ねて長くした結い方ですが、束ねた所を縛るのに、赤色なんかを主にしている色糸で巻いている。そして大、小を差していたのですが、この大、小の柄が非常に長い。その長い柄を縄で巻いて、そのうえ腰に火打ち石、その他いろんなものを結びつけて袴をはいている。そんなふうないでたちで、つかつかと仏前に寄ると、いきなり香を摑んで仏に投げつけ、そのまま出て行ってしまった。平生からが、こんなふうにやっていた。

他方においては非常に武張った遊びが好きで、弓を射ったり馬を馳せたり、泳ぎをしたり、自分がそんなことをやるばかりでなく、家来達にもそんなことばかりさせていた。それでこちらの方で領民の人望を繋いで、心丈夫に思いますから、どうにかもてたものらしい。こんなふうな教育だった。

大体、これは自己教育です。天は信長に自己教育をやらせたらしい。父親の言うことなんかも、一切、聞かなかっただろうと思われます。ただ、信秀は戦上手でした。だから、兵の使い方なんかは見よう見まねで覚えたでしょう。天が信長に施した教育、信長からいえば自分が自分に施した教育だったと思いますが、そんなふうなのが、信長の教育だったのです。

ところがその当時、尾張の東隣り三河、遠江、駿河、この三国は今川義元の領土でした。今川義元は京都に上って将軍家を補佐し、天下に号令しようとしていた。そして徳富蘇峯の計算によりますと、大体、二万五千位の兵を率いて尾張に迫った。この時、信長は父の残した尾張をやっと踏み固めることをしたばかりで、兵数は、これも徳富蘇峯によりますと五千位だったようです。そういうところへ義元の大軍勢が迫ってきた。

この風雲急を告げるその夜、信長は家臣一同を集めて何をしたかといいますと、敦盛の舞を舞って見せてます。〝人生いずれ五十年、化転の中を比ぶれば、夢幻の如くなり〟そう言って朝まだきに起きて、単騎、我れに続けと馳せ出してます。この時、信長は少しも死ぬということを恐れていない。そういう信長にとって、今日のこの戦いは、やがて起こるであろう、まことに面白い遊びだったに違いありません。しかも信長のやり慣れた遊びです。

結局、信長は二千ほどの兵を率いて、今川義元の油断を狙いすまし、首実験をしたり昼飯を食べたり、酒を飲んだりしている最中に襲いかかり首級をあげた。全てが片付いたのは、日もまだ高い二時頃でした。

これが世にいう桶狭間の戦いで、信長の武名は天下にとどろいた。人心というのはまことに大切なもので、この一戦によって天下の人達は、信長にいわば気を吞まれてしまった。それで人心がどんなに大切かということを知っているほどの人は、これで信長の天下布武は、半ば以上できたということがいえます。

これをやらせるためには、ぜひ、小国に生まれさせなくてはならなかった。それで天が信長を小国に生まれさせたのです。

織田氏の勢力が伸びるとともに、これを包囲攻撃しようとする連携も又、できていきます。その時の足利将軍は義昭。この義昭は信長が将軍とし、信長はこの足利将軍というものを利用したわけです。その義昭が敵に回った。つまり義昭を中心に、浅井、朝倉、毛利、それから石山本願寺と武田信玄。そういう面々が集まり、その連携をもって信長を包囲攻撃しようとします。こういう筋書きを書いたのは義昭ですが、事実上、実力上の中心は武田信玄だった。当時、甲斐は精兵天下第一と言われていて、兵数は三万位あったといいます。ですから、この包囲攻撃にあった時は、信長も危機に瀕するが、しかし、天はここで信玄を死なせてしまった。都合の悪いものは死なせてしまうのですから、簡単といえば全く簡単です。天にしてみればです。ともかくそこで信玄を死なせてしまった。しかも、単に死なせただけではない。信玄が死んだことを信長は知っているが、義昭は知らないという期間があったのです。そういう死なせ方をしている。

こうして義昭は信玄を頼んで信長に背いた。それが失敗に終って将軍をやめさせられてしまいます。これで足利将軍というものは滅び去り、このことによって旧思想は払拭されてしまった。世を治めようとするには、旧思想を払拭することが、ぜひ、必要であったのです。

しかし、これはいかなる場合にも非常に難しいことです。人心の難しさというのはそういうものです。この難事業を天は信玄にやらせた。信玄がこれをやろうと思えば、第一に非常に強くないといけない。第二には、丁度いい時に死なななくてはいけないわけですが、この困難なことをキチッとやって、己れの役割を演じて、そうして旧思想を払拭しています。

従ってそれから後、世は信長、秀吉、家康と続いて一路まとまる方向に向いたわけです。

打ち砕く人・信長の荒業を少し紹介しますと、当時、仏教のあるものは仏教というものを迷信化して、そして勝手なところへ、勝手に使うような、そういう集団だったのです。それで為政者は手を焼いたのですが、信長はこれを腹にすえかね、それに対してまず、比叡山を焼き打ちにし、そして三千人程を男女の別なく焼き殺している。

あるいは伊勢の長島という所では、一向宗――浄土真宗ですが、これを攻めて、結局、三万人程、幼老男女の別なく殺しています。それからまた、越前一国が一揆を起こしてから、これは門徒が支配していたのを信長はこれを破って、その時、やはり四万人程のこれも幼老男女となく、縄で数珠つなぎにして殺したらしい。突き殺したり切り殺したりしたのでしょう。

信長はこういうことをやってきた。これが打ち砕く人・信長の荒業です。それと、信長については言わなければならないことに、次のようなこともあります。

信長は、応仁の乱で焼けてしまった皇居を大規模に御造営し、それから生活資金をさしあげたりしていましたし、また、賀茂の祭りというのがあって、その時競馬をやるんですが、人心を朝廷に向けさすために、その競馬に自分の馬を出場させたりしています。また朝廷に乞うて東大寺に所蔵していた蘭奢待という名香、これは木なんですが、それをお願いして一寸八分わけていただき、そうしてその半分を武将達に分かち与えたりするなど、そういったことをしている。

これは父、信秀の尊皇の思想をそのまま受けたのだろうと思います。これで、大体、信長のやるべきことはみんな済んだ。あとは秀吉が後を受けもつ準備ができるのを待つばかりです。

## (二) 溶かす人・秀吉

ところで秀吉ですが、教育にたずさわる方々は、この三人ともそうですが、特に秀吉をよく見ると、一番興味深く思われるのではないかと思いますが、ともかく、この三人とも英雄です。この英雄という場合、日本においては天の使命を自覚している人、というような意味になるだろうと思います。

これは二つの特徴となって現われます。一つは、ここ一番というところでまことに強い。つまり戦わなくてはならない時に戦うが、その時は、負けるなどとは決して思っていないという、この無類の強さ、これが一つです。そしてもう一つは、機会を決して逃さないということです。

つまり、天の与えた機会は決して見逃さない。

この三人はずいぶん違っているが、例外なく機会がくるや、行動は驚くべく敏速で、かつ、驚くべく精力に満ちてやっています。一旦、機と見るや、何をおいても行動する。この二つがこの三人には共通しているといえるでしょう。これが英雄の資格だろうと思います。

ところで、これを抜き去りまして、秀吉の特徴はどこにあるかというと、一つは世俗の情がひどくよくわかる。それから人をきわめてよく容れるという、この二つです。天はこれをどんなふうにして養ったかといいますと、まずやはり、秀吉を一番適当な所へ生まれさせなければならないわけですが、どこが一番適当かというと、尾張中村の、名もない土民の子に生まれさせた。

奴隷制度というものは西洋の歴史にありますが、日本の歴史にはないということ、これが実にはっきりした特徴です。西洋では、この奴隷制度がいまだに尾を引いている。アメリカの資本主義にはそういう色彩が残っています。それがマルクス主義の存在意義ですが、日本などには、そういう歴史を述べようにもそういうものがない。それを無理に曲げて述べている。いったい、秀吉には階級というものがあったでしょうか。あるいは、明治天皇が搾取する方のように見えるでしょうか。

今、多く教えられている日本の歴史は、西洋の歴史をそのまま日本にあてはめて真似ているのです。教育者はそれに対して何も言っていない。これが日本の現状だと思うのですが、それはそれとして、天は秀吉を名もない土民の子に生まれさすのが一番適当と考え、それでそうしたのです。秀吉の母は、非常に素朴で人情に厚かったようです。父の方は秀吉が八才に死んでしまい、継父がくるのですが、この継父は酒癖が悪くて、酒を飲んだあとは、殊に意地悪く先夫の子に当ったわけです。

秀吉はそういうふうな中で、十二の時まで家にいます。全て数え年です。これは秀吉が世俗の情がよくわかる、そういう人に育てあげるための情操教育だったといえましょう。

そういう中で成長して大きくなって秀吉は、人を容れる、非常に人を容れる度量があった。でなければ溶かす人・秀吉にならない。これをさせるために天は、十二の時から二三の時まで東海道地方を放浪させたらしい。大体、これまでが、天が秀吉に施した情操教育です。

二三で初めて信長につかえる。信長公記に秀吉の名前が初めて出てきたのは、三三才の時です。ですからその間十年というもの、名もなんにもなくキチキチと勤めていたわけです。そして天は、秀吉がすでに準備ができたとみなすためには、地位もいるし私兵も必要だったわけですが、中国探題という地位と一万程の私兵が持てるようになったのは四七才。従って名前がでるようになった三三才の時から、更に十四年キチキチと勤めあげて、やっと一万程の私兵を持てるようになった。

天はここまで骨折って念入りに、いわば地下に根をはらせたわけです。そうやって、これでもう準備ができたと天はみなして、それで信長は本能寺の変によって退場する。そして秀吉が代って主役に登場します。その後は一気呵成、山崎に勝ち賤ケ岳に勝ち、天下を握ってしまいます。

天は次々に機会を与える。と、秀吉は一つもこれを逃さない。それでできたわけです。ですから教育として実際骨が折れるのは、中国探題となって、一万の兵を持つようになるまでです。

地下に根を張るということが、非常に大事らしい。そのために、実に天は苦労してます。後はチャンスだけ、それをことごとく生かして天下を握ったわけです。

その後は四国を平定、家康を傘下につけ、更に九州を平定した。それをやった後、京都の聚楽に立派な邸宅を造り、後陽成天皇の行幸を仰いで、四日盛大に色々なことをしてお慰めしている。どういうことをしたかというと、昼はお歌会を開き、夜は管弦の楽を催している。それから諸大名を集めて陪観させ、その時、朝廷に対して忠誠を誓わせています。これは、秀吉は信長のやり方を見て真似たのでしょう。ともかく聚楽の行幸までは、秀吉はほとんど欠点がありません。

ところがこれから後の秀吉は、全くいけない。一口にいえば、まことにグチな凡夫になってしまっています。このことから見て、天が一度使命をその人から取り去ると、それまでの英雄が、俄然一変して、グチな凡夫になってしまうようで、それは秀吉によってみると、一番良くわかる。

特にひどいのがその死際です。家康に頭をペコペコ下げて、涙を流して秀頼のことばかり頼んでいます。朝鮮出兵の日本軍のことは、ただの一言も言わなかったという。まことにグチな凡夫だというべきです。そんなふうになってしまった。

では、何故そんなふうな凡夫としての秀吉を、天下の人々にさらすようにしたかといいますと、そういう秀吉の姿に愛想をつかし人心は秀吉を去るようになる、そうすると自ら天下の人心は家康に帰していくこととなって、バトンの受け渡しが、まことに滑らかにいくでしょう。

そのために、そんな筋書きを書いて、その通りやらせたのだと思います。

## (三) 固める人・家康

こうして次に家康が出ます。

信長と秀吉は、これは天はその人さえよければ良かったのです。が、家康の場合はそうはゆきません。もし、固める人・家康だけを造ったとしても、家康が生きている間は固まっているでしょうが、死んだらバラバラになってしまう。だから天は、家康に対しては固める人・家康という人を育てるだけでなく、これと一心同体である家来達をも、育ててやらなければならなかったのです。天は、最もそれに力を尽している。常にそれに骨が折れたとみえます。

家康はどこに生まれたかというと、西三河の三河半国の領主であり、岡崎城をもつ松平氏の長子に生まれている。このところだけ信長に似ています。

家康の父は、家康が小さい時――確か八才位と思いますが、死んでいます。余り偉い父親でなく、今川義元の被護を受けその傘下にあったわけで、父親を失ってしまうと、家康は人質にとらわれる身となってしまいます。家康は、義元の居城のある静岡で育った。岡崎城は、家康の所有には違いないのだけれど、義元は、代官をここに派遣して支配させた。そして年に三度程、織田氏に対して働きかけることを命じた。

その頃、織田は信長時代ですから、非常に強かったわけで、そういう強敵に向って、しかも年に三度も攻勢に出てはたまりません。岡崎衆にしてみれば、御主様のためにそんな無理も聞かなければならないのですが、その御主様はここにはいない状態です。しかもその戦いの有様たるは、実に惨酷で熾烈であった。

親が子を失い、子は親を失い、従兄弟はお互いに相手を失うという、そんな戦いだった。それを年に三度も、それもかんじんの御主様に見てもらえない戦いだったわけです。それが十三年も続いた。そういう期間を通して、家康を中心とする岡崎衆の鉄の団結ができあがっていったのです。実に天は、ここに一番意を用いている。家康の勢力が伸びてそのために領国が増えた時、家康と部下との連結が緊密でなくなることを、天は最も恐れていたようです。

この家康が一度だけ、はっきりと天の救いを受けたことがある。

武田信玄が三万の兵を率いて、家康の領国に侵入した時です。家康は、兵八千を持ってこれを三方が原に迎え打ったのですが、木葉微塵に打ち破られ、僅か数騎と共に、居城であった浜松城に逃げ帰った。この後の家康の行動は、天命を自覚した人のやり方だと思います。

その危機に際した家康は、城門を八文字に開かせ庭篝火を赤々と焚かせる。もちろん、兵らしい兵はいないのです。そして自分は奥に入って高いびきで寝てしまった。

これは、わしはもう知らん、後は天、お前にまかしたというやり方です。そうするとまもなく、信玄の部下である甲斐の名将と言われた山県昌景と馬場信房が、各々数千騎を率いて攻めよせてきたのですが、城の様子があまりあけっぴろげだから疑いを起こして、そのまま帰った。疑いを起こして帰ったというのは、多少、疑いがあるから、何も今すぐ攻めなくてもと思ったのでしょう。

もちろん、攻める機会がこの夜をおいてないと知っていれば、ひきかえすようなことはなかったでしょうし、事実、攻められたらひとたまりもなかったわけだが、僅かの疑いの故に、よく調べてと思ったのでしょう。ともかく、ひきあげてしまいました。

ところが思いもかけない、信玄が病いにかかるという状態が起こってしまった。それでともかく国へひきあげます。で、一旦、病気は癒えて再起の軍を起こしたのですが、起こすや否や病気が再発して死んでしまった。そんなふうに、実はこの度攻めなければ、攻められなかったのです。

いちいち、ことというところは、みな偶然によってできている。だから天が筋書きを書いて、その通りに人が動いた、それによって歴史は書かれたように見えます。

ところで、家康の世を固める固め方ですが、まことに利己主義である。〝忠義〟という言葉はこれ以後にできているのだけれど、諸大名が徳川幕府に忠義であるというのは、どういうことかと言いうと、幕府にとって都合の良いことに外なりません。

これはまた、武士がその主である主人に対してもつ忠義という場合も同じで、全て、大名にとって好都合であるという、これ程、徹底した利己主義もめずらしい。武士の方にしてみましたら、忠義を練習するのにそれで良かったでしょうが、全体としてみたらまことにおかしなもので、集団利己主義としかいいようがない。非常に小我的です。これで三百年近くもったのが不思議なくらいです。到底、長くもつはずがなかった。

天は何故、こんな固め方をさせたかというと、こうしておいてこんな無理が内部から自と壊されるのを待ったと思われます。壊れてしまったなら、秀吉が輝やかせておいた、そして家康が無理に閉じこめておいた天術が再び輝くのも当り前です。

## 国を良くする基

武士道の多くの人達が命を捨て、坂本竜馬といった解脱した人達も働いて、もちろん、働いたのは竜馬一人でないでしょうが、解脱した人の足跡はわかりにくく、はっきりしているのは竜馬一人だからあげるのですが、ともかくそういう人達が働いて明治維新ができます。つまり、憲法が発布され議会も開かれ、それが今日に至っているわけです。

ところが、前に言ったように明治以降、文学的にみても大いなる喜びというのがない。何故こんなにおかしなことになってしまったのだろうか。

江戸時代には明確な階級制がありました。この階級制度というのは、家康が自分の子孫が長く幕府をやってられるように、というので考案したものです。この関係は、単にそれが全体にあっただけでなしに、各藩内でも、それは厳しくあった。土佐、山内藩には殊にそれがひどかった。何故かというと、あそこは掛川五万石から一躍二十万石余りになったのだが、土佐藩にはそれまで長曽我部の家来だった郷士と、山内家の家来だった上士という二つの系列があって、この郷士と上士の差別が、実に、徹底していたということです。

坂本竜馬は郷士の家に生まれていますが、彼は「アメリカでは女中のはしばしまでが、大統領を選ぶ権利があるのだというが、ええのう」と、こう言っている。

本当に良い政治を実現するには、これは日本にしてもアメリカにしても同じですが、アメリカにする方がわかりやすいですから、それで言いますと、アメリカの政治の形式はそれで良いとして、女中のはしばしまで、竜馬のような心を持たせなければいけないわけです。つまり、両方あってはじめて「ええのう」になるのです。

竜馬はみんな、人は自分のような心だと思った。ただ、政治形態が、日本、とりわけ土佐藩になくてアメリカにあったから——これは勝海舟かなんかに話を聞いたのでしょう。それで「ええのう」と言ったのです。しかし明治以降、長い間にこの竜馬の憧れは実現してきている。つまり、半分だけは明治維新はできたわけです。ですが、残り半分が残っています。

今、日本の政府の形式では、一人一人が一票を持っている。とすれば政治的に日本の国を良くするのは何かというと、一番影響を与えるのはつまるところ、各人の道徳的価値判断になるわけです。一票をどう入れるか、ということで一番変る。

従って、この政治形態をそのまま守り抜くなら、国を良くするも悪くするも、一番関係するのは道徳的価値判断ということです。これが最も大切で、理想としては竜馬のような解脱した人にもっていくべきです。だから、目標に少しでも善い人を造るということが、国のうまくいく所以でしょう。政治形態を変えれば、これが易々とできると考えたところに、竜馬ら、その後をずっと続いてきた人達の、大変、大きな誤りがある。

日本民族というのは、どういう心の色彩りの民族なのか、我々は川の流れるままに流れて、ここに来ています。日本は儒教、仏教と千三百年真剣にやってきて、しかし小我を抑えることはうまくいかなかった。これは非常に難しい。けれどそうする以外に、つまり小我を抑える以外には、このままの政治形態で国を良くする方法がない。それを知っていただきたいと思います。

（一九六八・五・二三　有田市・宮原小学校にて）

# 情操教育

## 人について

これは人によっていろんな見方があると思いますが、私は「人」が一番大事だと思います。日本という国を造っているといえば、簡単に言って日本人ですが、日本の国とは人の全体だと思います。

つまり、日本といえば、日本という国を造っている人の集まりとなります。じっとしているかといったら、そうでなく、一方からは生まれ、一方では死んでゆく。そして絶えず変っている。

たとえていえば、タンクに水が貯めてあって、水が流れ入ると共に流れ出ていく。そうして絶えず変っているタンクの水と同じことになるわけです。そうすると一番大事なのは、どんな水が流れ込むかということです。

簡単にするために、濁った水と澄んだ水とにわけます。もし澄んだ水が流れてくると、タンクの水はだんだん澄んでくるし、もし濁った水が流れてくると、だんだんタンクの水が濁ってくる。そういう見方をすると、水の流れ込む口が一番大事だと思えます。

ところで、水の流れ込む口に二つあって、どんな子供が生まれてくるかということと、それをどんな子供に育てるかということの二つに分かれます。

大体、なぜ悪い子が生まれたかというと、両親が悪いからだと思う。その悪い子が大きくなると更に悪い両親になる。すると、もっと悪い子を産む。悪循環です。

それから、両親といいましたが、殊に母親が大事でしょう。敗戦の痛手を治すのに、よい母に育ってもらって、よい子を産んで、よく育ててもらわなければならない。だから何よりも急務なのは、よい母をつくることです。

これを言い始めてからもう十年もたちますが、一向に聴かない。私は女子の学校を教えていましたが、学校内で言ったものだから外へは伝わらず、内では用いられず、これではもう外へ向かって呼びかけねばいけないだろうと思っていた。

そのうちに、三歳児の四割が問題児という数字が出てしまった。まさか、こんなに早くこんな数字が出るとは思わなかった。これは実に憂慮すべき数字です。

つい少し前、選挙があって、各党、様々のことを言った。そのうちには教育にふれているものも、もちろんありましたが、この数字が心配だと思っている人は一人もいなかった。なぜないのか、実際不思議です。この数字は戦慄すべき数字です。結果が現象として現われるのは六十年後だとしても、宿命はもう既に決まっているというのに……。現象に現われるのが六十年後だったらなんとも思わない、という癖がついてしまっているのだろうか。とにかく、人をよく育てるには現実をよくみなければならない。

今は、もう暫く子供の生まれるところを問題に考えてみる必要があろう。何故そんなことになったかというと、原因はごく簡単です。

それは、種族保存の本能を、享楽のためのものとみなしてしまったところにあると思われます。あれは、種族保存のために与えられた本能で、享楽のための本能ではありません。そこを自制しなければいけませんし、この一点が狂っているために、こんなひどい数字が出て来てしまった。

どうしたらいいのか。これは、教育の中でも一番急ぐ問題ですし、教育全体の話であるからそこから話します。

## デューイ教育の弊害

デューイというアメリカの教育学者がいますが、このデューイが書いたものを取り入れて、内容は日本で詰めた、これが新教育です。その一番大きな欠点の一つは、次のようです。時実利彦氏の「脳の話」を読まれたら参考になると思います。人の大脳皮質は、大体、上下二層に分かれている。上を大脳新皮質、下を大脳古皮質と言う。

この大脳新皮質が人の人たる所以のところであって、大脳古皮質は猿とほとんど差がなく、ここは、欲情の温床と言われている。

欲情以外の本能もありますが、これは、多分、脳幹部の軽い部分だろうと言われています。欲情の点では、人も猿以下の獣類もまず変りありません。それどころか、人には猿よりも悪い点が一つあります。

獣の場合は、自動調節器のようなものがついていて、時期を問わずとか、量の節度なくとかは自らできないようになっている。ところが人にはそれが、ついていません。医者は、この点で人は動物よりも悪い、戦慄すべきものだと言っています。

これは、医者なら誰でも知っています。知っていれば、言えばよさそうなものを言わない。記憶の倉へしまいこんでいるのですが、それは考えていることにはなりません。

それはともかくとして、人の場合にはその代り、大脳前頭葉に抑止する働きがあるのです。大体、ここの働きは、抑止する働きです。

これは、動物からみたら、非常に羨ましい話です。単に度が過ぎないように抑えるというだけでなく、抑えれば抑えるほど向上していく。だから、人のみが向上します。他の獣類は、こんな不公平なことがあってよいのかと思っているでしょう。

ところが、デューイ流の教育では、抑止することを嫌います。抑止したら損だとでも思うのでしょうか。心のままに放任して、物事を快、不快で判断して、それによって行えというのだから、結果は、欲情のおもむくままです。

しかし、抑止しなければ人らしい判断はできません。人の欲情は、強さから言って獣類と同じく強いのだから、抑止した後でなければ、人らしい満足というものは得られないのです。ところが、デューイの快、不快は、抑止しないままにおいてするので、それを放任すれば欲情本能が、その人を支配することになります。獣には節度があるが、人にはそれがないので、形は人でも内容は獣よりもっと悪くなります。欲望のままにふるまうというのは餓鬼道です。抑止することを教えないで、人の子を教えるという法は、絶対にない。ところが、それを今の教育はやっているのです。

特に、女性が悪くなって現われている。これは是非、学校という義務をしいているところで抑止してしまわなければいけません。それが、四割を少しでも減少し、少なくとも増やさないように、質も悪くしないようにする方法の一つです。

この問題のもう一つの要因は、情緒などは気のせいだと思っていることです。

この場合は、情緒というより国の心的雰囲気とでもいうか、そんなものは気のせいだからいくら汚してもかまわないと思っている。汚さなければ損だという様子さえみられる。

ところが、それが子供の情緒の中心になると、それは新皮質を発育させないで、古皮質ばかりを発育させてしまう。それがもう一つの原因です。

ところで、子供が成熟したというしるしは、男性の場合でも計れないことはないが、女性の場合は、初潮で計れるからわかりやすい。

初潮があるというのは、頭の発育期が一応終ったということです。従って、これが早くなるということは、頭の発育期が短くなるということです。

どの位短くなったかというと、私たちの時と比べて五年短くなっている。

大体、可哀相だということがわかるのには昔は七年かかったが、今は二年でやっています。小学校三年頃から二年かかってやるのです。

この期間は、端的にいえば、大脳古皮質が発育して、発育し終ると共に発育期が一応終るのだろうと思います。即ち、新皮質を発育しきらないうちに、発育が一応止まるのです。しかし脳の発育期がすんだ後も、脳は使えばその部分だけは発育しえます。しかし、他の部分は発育しないから、そういう人は、肉体を通してしか知情意を働かしえない。

とは言っても、大脳新皮質が発育しえない人は、じかに無差別智からとることができるから方法がないことはないのですが、しかしそれにしても、一度、人の頭を通してからというやり方は、一切なり立ちません。

無差別智をとり入れるにはどうするかを、もう一度やらないことには、その人の一生はそれきり仕方がないということになります。そうなると、人生は享楽のためにあるとしか思えないのです。

人はよく人生の目的は幸福だと言います。幸福というのは、よく聞いてみると、個人の幸福のことを言っている。しかも、その幸福の大部分を占めるものは享楽であって、その主要なものは、種族保存の本能のことを言っているのです。

もう一つ、国の心的雰囲気を汚すこと、これは絶対に止めなければいけません。たとえば、高等学校の生徒が、悪質の映画をみることはいけない。これは、行く者より、むしろそれを止めさせない者がいけないと思います。行ったら放校ぐらいにすればいい。

それから悪質の小説、喫茶店もいけない。コマーシャルもいけない。

こんなものは、できるだけ国が止める。国がだめなら自治体で、自治体でいけなきゃ学校で止めたらいい筈です。今は国が滅びるという時ですから。

ともかく、欲情本能を抑止すること、国の心的雰囲気を汚さないようにすること、これは教えなくてはいけない。

これは、徹底すれば止まる。それだけではなくて、初潮の時期も、もとに戻ります。七年あれば「可哀相だ」がわかり始めてから慈悲心までいきます。しかし、二年だとそうはいかないようです。

## 男性と女性

おおよそ、一番難しい問題の一つに、男性、女性とは何かという問題があります。これは、生命の根源自体から来ているというよりも、余程早いところ、つまり、根源に近いところから来ている。そして、それはわからない。

よく見てみると、男性は、意志が知から情へと働きます。ところが、女性は、意志は、逆に情から知へと働くようです。そこで、二つあわせると、意志の働きはゼロになる。つまり安定するというわけです。

非常によくいっている夫婦の例をみますと、その行き方は、仲の良い友だち同士、一緒に何かしているというのではないでしょう。非常に特徴ある各々の行き方をしていて、しかもしっくりいっている。

教育は、それを目標に教えなければいけません。種族保存の本能のところに動物性本能が確かに出てくる。しかし、これは良いものと混ざって出て来ます。だから、これを見分けるのは甚だ難しいのです。

だから、抑止せよと言っても、何を抑止するのかわからない。これが教育の一番難しい問題です。

これを研究するには、文学者、創作家が取った方法が一番良いのですが、しかし、あの人たちに任せておいても、方法はいいが、目的が初めから違っているから、いつまでたってもどう教えていいかわかって来ない。

大体、男性はどういうもので、女性はどういうものか、どうして相引くかがわからない。わかっても手におえるかどうか、非常に難しい問題です。もし、手におえないということがわかったら、もう一度、男女別学にすべきではないだろうか。

男女共学といっても、当初は、チャンポンに混ぜて並ばせたりはしなかった。進駐軍の勧告があったからか、それをすぐに受け入れて、男女共学に変えてしまった。行政当局もわからなければ、それをそのまま受け入れた教育者もそれが何のためかわからない。後の人たちはもちろん何もわからない。

結果は、顔が全く入れ変わって、男は女らしく、女は男らしくなってしまった。しかし、聞いてみると、男は凛々しく、女はゆかしいのがいいと、めいめいが言っている。現実は、欲するところとは反対になっているのです。

この問題を今日まで不問にして来たことを反省して、こんなことは二度としないようにすべきだと思います。

ヨーロッパの方はどうか、詳しくはわからないが、アメリカでは確かに、よくいっていない。それを知っていながら真似をしている。

進駐軍が日本に来た頃、彼らは三つの「S」をはやらせようとしているという説がありました。「三S」というのは、セックス、スクリーン、スポーツで、これらは今、いやというほど日本にはびこっています。

高校生が、映画を見に行くのは、ひどくいけない。専ら男女間の欲情を狙った絵を見に行くのですから……。それがわかっていながら止めないのですから、よっぽど考えていただかなければならない。

スポーツを熱心にやるということは、学業の方をやらないということになりがちで、あまりソッともしておけない。大体が、知覚作用が衰えている時、運動作用の方を奨励するという手はないのです。これは、同時に働かせたらゼロになるという二つの方向です。

この三つの「S」の中でも、特に抑止させなければならないのは、動物らしい欲情本能です。それが一番大事なのです。

欲情本能を抑止しないで人の子を教えるということは、医学的にも不可能ということです。時実利彦氏の脳の研究によると、大脳皮質は細かい専門専門の分野にわかれてしまっています。ところが、共通の広場もあって、これは、大脳の総合的な働きをするという意味で重要です。広場は、数でいって三つある。前頭葉一つ、側頭葉二つ。この両脇にある二つの側頭葉は大体つかさどるところは同じで、相互の連携もよくついています。

命令は、前頭葉から側頭葉にいく。そして、大脳は、総合的に回転が始まるわけです。が、前頭葉が命令しなくても、側頭葉同士、相互に下に命令して働かせることもできます。この時は全面的な働きにならず、やや総合的な働きになります。

側頭葉は、簡単にいえば記憶判断をつかさどり、前頭葉は、感情、意欲、創造をつかさどります。

特にこの創造ですが、その知的働きを働かせるためには、後のものを抑えてしまわなければならない。だから、目的に合わない感情、意欲を抑止するわけです。

それから、側頭葉が前頭葉の命令なしに働き出すことも抑えなくてはならない。

記憶では、特にたいしたことはないが、判断が困る。側頭葉だけで判断するのが困るのです。

これは、衝動的判断といって、生活が衝動的になりやすい。この衝動を抑止しているのが、大脳前頭葉だといえます。これは、根本の働きで、衝動を抑止しなければ、知的に働かないのです。

それをやって初めて、広場をキャンバスのように使うことができるのです。外のものを取り入れるにも、内心の働きである創り出すという働きにも、そのキャンバスを使う。取り入れるにも出すにも、皆このキャンバスが要るのです。

日本人は、この前頭葉を発育させるということ、つまり前頭葉を使うということを、西洋人から学ぼうとしたのですが、不十分にしか学んでいない。

それも今はやめてしまって、側頭葉だけを教育しようとしている。そして、今は殆んど側頭葉の教育です。従って、衝動的に行動しやすくなっています。これは、物によっては類型的にやるといってもよろしい。

日本が戦争を始めたのは、この衝動を抑止することができなかった、つまり、前頭葉を前頭葉として使うことができなかったことによります。ヨーロッパの場合は、一応ここを使う。ただし、使っているうちはいいが、使ってしまったら、ここに感情、意欲を強く働かせるから自我が強くなるのです。それを抑えないから問題があるのです。だから、前頭葉を教育して発育させると、自我が強くなるのです。それで、また、戦争をしやすくなる。

アメリカの方は、欧州に比べて、もう一段、側頭葉的です。しかし、欲情本能は相当、やっていても、感情、欲望を強く出すという欠点は少なかったと思います。

で、もう一度言いますと、欧州は、もっとよく自我（感情・欲望）を抑えれば戦争にはならなかった。日本の場合には、もっとよく衝動を抑えれば戦争にはならなかったといえると思います。今はどうかというと、欲情本能からしてそのままですから、感情・意欲はもちろん、ちっとも抑止していない。出たいのに任せている。

以前以上に、衝動を抑止していないし、悪いことはそのままにして、更に、良いことまで奨励して止めてしまった。それが現在の教育学と言えます。

前頭葉を使わないから、反省するということができない。すぐに附和雷同します。それに、これはいかんと思っても、抑える力がない。いくら行儀を躾ても、行儀が、教えられた通りになっている間だけが安全で、いつ破れるかを思うと、非常に危険です。

これは本当か嘘か、多分本当だろうと思うんですが、日本では、昔から問答無用と、他を間違えて切りつけ、その刀を叩き落してねじふせてからでないと、いくら人違いだと言ってもきかないということがよくあったようです。あれは、衝動を抑える力が弱いからで、十分に、衝動を抑止してから前頭葉を使うのでなければいけません。

自我は、これまでよりもっと抑えて、前頭葉は十分に使うことを習うべきだったのに、明治以後は、それも不徹底にしか習っていない。この際、徹底してあれを習うべきです。そうすれば戦争もなかなか起こらんことになります。

感情・意欲を抑止する、衝動を抑止するということは、戒律です。「…すべからず」と言って、これは是非守らせなければならない。

感情・意欲を抑えることは、満三歳からでないとできませんが、それができるようになったら、すぐやらしたらいいと思う。

しかし、衝動を抑えることは、それより一つ位前の満二歳からですが、それ以後は、衝動的判断は、あくまでやめなければいけません。これを奨励するなどは、もっての外です。問答無用式の考え方、○×式の試験も、日本人の欠点を出すばかりなのに、今は殆んどこれを奨励することばかりやっている。

自我を抑止するには、まず人を先にして、自分を後にすることです。これは、自他の別がわかり始める満三歳ごろからやるべきです。そして、ずっと続けなければいけません。

## 知情意と情緒

ところで、人の生い立ちを一口に言いますと、まず、人の中心である情緒ができるように思います。情緒といっていますのは、情的情緒です。これは現象界でいえば感情であって、心霊界で流れていれば情緒です。これはずっとみてくると、感覚的情緒、意志的情緒、情的情緒、それから知的情緒、みなあるようです。情緒といえば、情的色彩を帯びるが、人の中心は、この情緒にあって、それがまず先にできるようです。これは、頭で言えば脳幹部でしょう。それが先にできて、その現われとして、大脳新皮質とか大脳前頭葉とかになるようです。だから、情緒が十分に発育しないと、その現われである大脳前頭葉とか、大脳新皮質とかの発育もまた悪くなるというわけです。

情緒が、人そのものだから、これを十分に清く、豊かに、深く育てなければいけない。しかし、今は、情緒中心に育てるということを忘れている。つまり、感情、本能を抑止することを教えないから、情緒がでてくるはずがないのです。戦後、日本が取り入れたデューイの教育学にそんなものはありはしない。

欲情本能を抑えること、そして、情緒を大切に育てるということが大事です。特に、お母さん方は、その情緒を清く豊かに教育することです。そうすれば情緒の現われとして出てくる知情意は、全面にわたって間違いなく発育する。学校教育で大事なのは前頭葉で、そのためにも側頭葉を抑えなければいけない。もっと細かく言うと、小学校で一番大事なのは、その情緒をつくることです。これは三、四学年が中心になります。

次に、前頭葉が命令して、側頭葉が記憶する、という前頭葉の使い方を、五、六学年からお始めになったらよい。そして、中学一、二年には、前頭葉が命令して、側頭葉が判断する、という練習をさせたらいいと思います。

そのつど大事なことは、前頭葉が命令して、側頭葉が判断するということです。それで止めてしまってはいけない。更に、その結果を究明して認識する。一つの細工を完全に動かすことが大事です。数学では、これを甚だ不徹底にしかやっていない。命令して判断したらそれきりです。後は、先生の受け持ちということになるのですが、それではやっぱり前頭葉的とはいえない。むしろ、側頭葉的になります。

それから、中学校三年、高校一、二年。ここでは、精神集中をやらせなくてはいけない。精神集中を無自覚にやれるようになったら、その上に更に、精神統一を教えるといいでしょう。しかし、散文的にやらせていたのでは前頭葉の働きは十分できません。

## 衆善奉行

学科の中でも、社会科を教えるのは、甚だ不賛成なのだけれど、そうはいってもなかなか聞いてもらえないだろうと思います。

この一つを言ったために、外まで、みんな聞いてもらえなかったら全く困りますので、言いませんん。ともかく、社会科を、今すぐ全く止めろとは言わないが、しかし、時期の問題で、止めなければ、所詮、深くは入れないと思う。本当に深く入らなければ真・善・美・妙、みんなわからない。極めて表層的な入り方になるのです。

仏教では、汚れない心を真如といいます。それが元、そうしてそれが一変して世界となっています。世界というのは、自然界のことですが、再変転して衆生となっている。ねじた上にまたねじてある。しかし、こんなことは社会科で教えられない。

それより、心の学問、いわゆる国語とか歴史とかを主にして教える方がいい。国語とか歴史とかは、大体自然なのです。これを、五、六年の、前頭葉が命令して側頭葉が記憶するという時期に教えるのが丁度いい。この時に、自他の別は、なるたけ抜くようにします。

社会などを教える代りに、観音様の心を教えるに限ります。情操教育の第一に、観音様の心をおいたら、社会科教育などは外のものが入るだけだから、別にやらなくてもいい。

社会性という言葉がある。これはデューイの爪跡生々しい言葉です。そんなこと言われたら、砂糖水飲んでいるところに、砂を入れられたような気がして、私たちの時なら、社会性などとかで人に親切にされたら、「軽蔑するな」と言って怒ったでしょう。

社会科で、どうしても止めて頂きたいことが一つある。批判的精神を養うなどと言って相手の欠点を探し出して、否定する訓練をやらせていることです。欠点を捜し出して、全体を否定するというのは、非難の一種であって、しかも不当な非難というべきです。悪いところだけいいたてるのも非難になるが、その上全体を否定したら、なお非難になる。無茶な非難です。ところが、それを批判だと言って奨励する。あれは批判ではない、非難というのです。

批判というのは、ものの全体はこうである。そして、中心はここである。しかるに、今はここが中心になっていて、これだけずれている。あるいは、正しい方向はこちらである。しかるに今は、こちらに向いている。こういう説明をするのを批判というのです。だから、全体を見ることができなければ批判はできない。ただ単に、そこがいけないというだけなら、それは非難にとどまる。そのために、全体がいけないというのは、誠に不当な非難というべきです。人の長所がわかりたいと思えば、やはり全体が見えなくてはいけない。人の欠点は見ないように、人の長所がよくわかるようにすることが大事なのです。

人の欠点はわかるが、長所がわからんというようなのを、小人と言います。欠点というのは長所より大分見やすいから、すぐに、見つけられるけれど、見ようとしない方がよい。欠点ばかり見ることを奨励してますと、欠点に対して嫌悪感をもつ。そのために、ますます欠点が目につく。そして、更に嫌悪感が強くなる。

こういう人に対して、欠点に寛容であれ、ということを言ったってできやしません。嫌悪感というのは、邪智のうちでも悪質なものです。欠点を捜し出して否定することは止めなくてはいけない。そんなのは批判でもなんでもない。

高校三年、大学の一、二年の頃になると、意義がわかって来る。意義というのは、全体に対する個々の位置です。だから、そうなると、全体をみて、その位置がここだと、わかるようになる。

それからもう一つ、情緒がわかるようになる。従って、内面から見られるようになります。自分がそのものになって、そのものを見るという見方ができるようになります。

小さい時にも、これは存外できます。これが持ち越されて、小学校の二年ぐらいまでにできる。そして、それから一時できなくなりますが、旧制高校の頃からまたできだすのです。

この時には、完全にできるようになる。つまり、内面からものを見られるようになるのです。

本当に親の心を知ったり、人の心の哀しみの色彩りを知ったりする。

それから後は、いやでも批判します。しかも、建設のための批判です。

何かするのに、あの人はこれで満足するかどうかなど考えると、人に喜んでもらうには、各々が勝手に振舞っているのではできない。

個々の行いの、全体の位置を知らないといけなくなるのです。

孝行しようと思えば、親の心を知らなければなりません。本当の孝行というのは、旧制高校の頃からできるようになります。従って、それまでの孝行というのは、不孝をするなということです。

不孝をするなとは戒律です。不孝の反対は孝行ですが、孝行の反対は必ずしも不孝ではありません。孝行でも不孝でもない、広い広場があるのです。

というのは、初めはどの意味においても戒律を守らせなければならない。悪行をするなというならわかる。しかし、悪い行いの反対が、必ずしも良い行いということは言えません。どっちつかずの中正の行いというのが、この広場です。

悪い行いをするな、ということは、良い行いをしろというように難しくないから戒律を与えるのです。そして、悪行をしないのを良い行いといっていますが、事実は、戒律でしかないのです。それ以上はできない。

仏教で、諸悪默殺、衆善奉行ということを言います。諸悪默殺とは、簡単にいえば、良いことをせよということです。

もっと詳しくいうと、難しくなるが、悪いことをするな、良いことをせよということです。更に、事情、環境といったら動機が大事だと細かくなっていきますが、動機が大事だというのは、情緒の中心が大事だということになってくるわけです。

諸悪默殺が先で、衆善奉行が後だと言われてるが、それは、どの頃のことかといいますと、旧制高等学校以後です。この頃でなければ衆善奉行の善を行うと言っても行えるものではない。それまでは悪行をしないように止めるのです。それが仏教の教えであり、又、実際、そうしかできないのです。

ところで、サッとする、これが動作ですが、サッとするのは、心にやましいことがあってもなくても同じ速さです。昆虫の本能にも、こういう作用があります。

こういうのを皆、無差別智といっています。それとは別に、心に少しでもやましいものがあれば、うまくいかないのがある。これを、真智といって区別します。

人は、この真智を大事にしなければなりません。

無差別智は、発心になるが、何でも力があるからやって良いとしてやってしまいますと、修羅道といって——修羅というのは怪力の所持者ですが——それを取り入れてしまう。力が強ければ偉いとなったら、修羅道が偉い、天狗が偉いとなってしまいます。

それは、恐ろしい破壊力はもっているが、建設力はありません。人の文化は、人と修羅との長い絶えざる闘いによって築かれたものであって、今後もそうだろうと思います。

しかし、何でも力が強ければいいというやり方は、もうやれません。水素爆弾一つでコリゴリでしょう。建設というよりは破壊力ばかりです。あれは排撃しなければなりません。

人の心情に働く大自然の無差別智を真智といいますが、あれは真智が作ったものではありません。だから、人は、心情を用意しなければいけないと思うのです。

（一九六八・一〇・七　信州大学附属中学校にて）

# 日本民族の危機

## 〝造化〟の扇動

第二次世界大戦が終ってこの方、日本は戦争に敗れておとなしくしているから、まあ、問題はないが、外国の国々は、まさに噴火山上の平和です。もし水爆というものができていなかったら、とっくに第三次世界大戦が始まっていたに違いありません。このまま放置すれば、人類の滅亡に二百年もまたないのではなかろうか、そう思われる状態です。

十五年前に太陽の磁場が百八十度回転しました。そのため地球の磁場がひどく不安定になっている。この日本でいえば、春夏秋冬の四季の変化がメチャクチャになってしまったようです。戦後生まれた人はあまり知らないかもしれないが、私達は皆、驚いている。冬に雪は降らないし、梅雨はないし、夏は夕立がないし、それはもう、随分狂っている。四季が四季らしくない。これは世界的現象です。

こういうふうになってくるのは、この「造化」が革命を望んでいるのであろうという人がいる。私もそう思う。かような変化は二千数百年に一度起こる。この前のはこれと同一でなく別種類の革命でしょうが、ともかく革命が起こりそうな気がします。起こらなければ人類は自滅すると思われます。

今この時、一億が足並み揃えて立ち上がるなら、同志協力してやれば人類を自滅から救うこともできるが、日本はといえば、およそ今は足並みというようなものではない。右へ行こうとする人を左から引張る。左へ行こうとする人を右から引張る。よちよちしている。それで国が滅びないのはいかにも不思議だ。何故だ、というのが一つの研究課題です。

人類は自滅しそうになっているのだから、一億同胞は、足並みを揃えて立ち上がって、これを救おうじゃないかと、誰でも叫びたくなるでしょう。ところが、それを叫ぼうにも一向やりようがない。仮にしても、学校を休んで町を練り歩いたりするより仕方ない。

何故、そんなふうになっているか。秩序というものがないのです。旧秩序はことごとく形だけで無力です。新秩序は何もできていない。ま、できているものは新不秩序というものです。これではどうしようもない。しかも二百年に迫っている人類自滅の状態を見て、あるいは内側の「造化」の扇動によって、いてもたってもいられない気がする。すぐに、何かの行動に移りたいという焦燥、これはどうすることもできない。それが現状です。

こういう時には全く白紙に帰って、丁度、これからまさに絵を書こうとする時のように、キャンバスを真白にして、そこへ書いてゆかなければならない。真新しい知情意をもって、〝もと〟に望まなければなりません。

何しろ今、地球は滅亡に瀕している。それをやっているのは欧米人です。というのは、欧米人の中心思想は自然科学にあります。自然科学はどういうものか。その暗々裏に仮定してしまっているところを言葉に出していうと、初めに空間というものがある。空間とは何かわからない。が、そんなことは問題にしていない。

とにかく初めに空間というものがある。その中に物質というものがある。物質とは、少なくとも最後には人の備わった五感によってわかるものであるとする。これは暗々裏の仮定です。では、逆に、少なくとも最後には人に備わった五感によってわからないものは、どう考えるか。そんなものは存在しないとみなす。これが物質というものである。その物質の造っているものが自然である。その自然の一部が自分の体・肉体であるというのです。

他方、時間というものがある。これも時間というものがどういうものか言っていない。聞いてみると、たとえば、太陽が一回まわるのを一日だという。しかしこれは物質の空間的運動であって、時間ではありません。たとえば今、時計は二時六分だということを言います。が、これも空間的なものであって時間ではない。つまり、時間とは何かを全く知らないままに、時間というものがあるといっているのです。

それで、とにかく時間というものがある。そして物質は時間と共に変化する。この自分の肉体も物質であるから、時間と共に変化する。物質が変化すれば、機能（働き）というものが起こる。結局、肉体とその機能とが自分であるということです。これは自然の、ごく簡単な模型というより、いかにも言い方がありません。人が現実に住んでいる自然の、ごく簡単な模型を考えて、その中で科学して集大成したものを、自然科学と言っている。

## 物質主義の誤り

それにしても、大体、五感に感じないものはない、というのは乱暴きわまる仮定です。釈尊は出発点において、五感に感じるもののうちに、本質的なものは一つもない、五感を閉じて修行せよと教えている。それが仏教です。これは少なくとも最後には、肉体に備わった五感に感じないものは〝ない〟としか断定できないのとは、随分と違っている。野蛮な原始人と、どこが違っているのだろうか。

ところで時間ですが、人は時間の中に住んでいるのではない。大体、時間とは何かわからない。時間、時間と言っているものを聞いてみたら、みな、空間のことをいっている。時の隔りではない。空間的距離のことを時間と言っているのです。

空間というなら、同じわからないとしても、それ程不思議ではありません。しかし時間というのは全然わからない。感覚もできない。言葉でもいえない。そういうものを〝ある〟として何とも思っていない。時は過ぎてゆく、とそれだけ思っている。人は時間の中に住んでいるのではなく、時の中に住んでいるのです。

時には、過去・現在・未来の別がある。未来はわからない。従って希望が持てるが、不安も抱かざるを得ない。それが未来です。それが不思議にも突如として現在になる。そうすると全てが明らかであるが、全てが動かし難い。それが現在の厳粛さというものです。人生が厳粛だというのもその意味においてです。そうした現在では、とてもいつまでも生きてゆけない。

ところが不思議にも、これがまた、突如として遠ざかっていく。これが時というものです。

即ち、情緒に現われた時というものです。この情緒に現われた時あるが故に、人は生きているといえます。更に時には、中までギッシリと詰っている時と、内容の全く疎な時とある。このギッシリ詰っている時を、道元禅師は〝有時（うじ）〟と言っております。

たとえば個人では言いにくいですが、地球上の人類（他の星の人類のことは言っていない）全体についての時をみると、今は内容がギッシリと詰っている時である。即ち、一つの有時です。

二千数百年前にも、時の内容がギッシリと詰っていた。あの時も一つの有時であった。歴史に見られますように、あの時分、人類はああしました。今度の時分はそうしません。別のやり方をしなければと思います。そんなことをして矛盾ではないかといいますが、決して矛盾ではない。あの時はああだった。今はこうである。それが時というものです。

道元禅師はこう言っておられます。人はそういう時の中に住んでいる。その時の一つに〝過ぎ去る〟という性質がある。これを、ごく一部分だけの成分を取り出して、数式化したのがニュートンです。

それ以後、人は時間というものの中に住んでいると思うようになった。これで、自然科学者が、暗々裏に仮定している自然科学の模型なるものが、いかに簡単極まるものであるか、理解できると思います。これを自然だと言いきるに至っては、乱暴もまた、極まれりというより仕方がないでしょう。

ところが、日本では、明治までこんなふうに思っていなかった。では、どんなふうに思っていたのかといいますと、初めに〝心〟というものがある。その心の中に自然があり、人の世があり、五尺の体の自分もある。いわば、自然は心の中にあると思っていたのです。一体、どちらが本当なのか。自然科学的発想では、どんな困ったことになるか。それを仏教的自然はどこまで説明してくれているか。それをよく、できるだけ理性的に調べてみます。

人は生きています。従っていろいろな生命現象が起こる。たとえば人は見ようと思えば見られます。何故できるか。この方面を受けもっている自然科学は医学ですが、医学はこれに対して一言も答えていない。人は立とうと思う、そうすると立てる。全身四百いくつかの筋肉が、同時に統一的に働いたから立てるわけです。

人は生きているから知覚運動をする。が、何故できるのか。これについて自然科学は何一つ説明していない。その知らないということさえ、知らないように見えます。

一方、仏教の方はどうかといいますと、説明している。

私達が普通に経験する知力は、理性という型に類します。これは意識的にしか働かない。それも順々にしかわかっていかないという、こういう二つの性質を持っている。人が経験するのは大体がこの型の知力です。

しかしこれと違ってもう一つ、たとえば仏教を修行する時とか、数学の研究をする時とか、そういう時はこういう型でない型の知力を経験するのです。これは無意識裏に働く知力です。つまり、結果によって働いていることはわかるが、働かそうと思って働いているのではないから、働いているのが少しもわからない。

その結果にしても、序々にわかっていってついにわかり終わるというような、そんなわかり方をしません。一時にパッとわかる。この後の方の無意識を、仏教では無差別と言う。それからとって、かような知力を〝無差別智〟というのです。

人が肉眼を使って、いろいろなことをしますように、仏教の高僧達は無差別智を使って、いろんな修行をします。これは修行すればする程、ますます良く働くようになる。それでまれに、仏教には無差別智高僧といって、偉いお坊さんが出ている。

このお坊さん達によって、無差別智のことが詳しく調べられ、書き残されてあります。

真言宗を除く諸宗は、この無差別智を働き具合により、四種類に区別し、各々の名前がつけてある。大円鏡智（だいえんきょうち）、平等性智（びょうどうしょうち）、妙観察智（みょうかんざっち）それから成所作智（じょうしょさち）、この四種類の無差別智を四智（しち）といいます。

見ようと思ってみえるのは、四智がみんな働くからだというのです。立とうと思って立てるのは妙観察智が働くからだという。

全て人にこうしようという考えがあると、それにはそれぞれ色彩りがある。それは情緒です。動作を欲する意欲の情緒がある。それが形になって現われるのが人の動作です。人は情緒を形に現わすことによって動いている。それが動くということです。これみな、妙観察智の働きです。

聞いてみる程、人の肉体は無差別智の大海の中の、まるで、あやつり人形のようなもの。ですから、人が現実に住んでいるような自然でも、単に五感でわかるだけでなく、五感ではわからないが無差別智が働き続けているような、そういう自然でなければ生きることができない。

ところで、無差別智はどこに働くのかと言うと、心に働くと言います。即ち、無差別智が働くということは、心の世界の現象を現わしているといえる。心の世界というのは、全体がただ一つであって、それから反面、個々別々だというのである。この心の二要素をとってきて、二つの心というものを調べてみます。

二つの心の関係は、一面一つであって反面二つである。こういう世界だから、心の世界は数学の絶対に使えない世界です。これに反して、物質の世界は、数学の使える世界です。実際、自然科学は、最後は数式をも理性としている。この自然科学のいうような物質の世界へは、到底、無差別智は働きえない。

自然科学の中に我々が在ると主張する、こういう考え方を物質主義という。物質で全て説明がつくとする、これは明らかに誤っています。

自然科学は、物質現象の、ごく一部分だけを説明したものだとみるのは正しい。ごく一部分である証拠に、時間とは何かわからずに、それを使って説明している。

## 第九識の世界

次に個人について考えてみます。心が全しというと、全一の天のようなものをいうのです。

仏教ではこれを第九識と言う。いいなおすと心霊です。

この第九識を一人一人個々別々という側からみた時、個という。つまり個人の個ということです。この個が個人の中核になる。一に非ず二に非ず、各々の個は、個の全体と不一不二の関係にあるという以外、何の属性も持っていない。特に時間も空間もない。

たとえばここに多勢の人がいる。この時、自分と他の人達と不一不二の関係にあること、それが始まりになるのです。それ以外、何もない。不一不二。人は自分ではありません。だから人めいめい、個性もあれば主宰性もあるでしょう。

しかし、人が嬉しいと自分が嬉しいのと同じく嬉しい。あるいは人が悲しいと、自分が悲しいのと同じくらい悲しい。こんな点では不二といえます。

で、多勢の人がいる。そしてそれらは不一不二の関係にあって、外に何もない。これを第九識という。あるいは霊性といいます。霊性といっても、何も死んでからの霊魂じゃない。人の個性、人の主宰性、これは尊重しなくてはならない。

しかし、人の喜びと自分の喜び、人の悲しみと自分の悲しみを区別してはいけない。これが自己の中核、そして根本だと思います。が、どうだろうか。果して抹香臭いでしょうか。間違っているだろうか。思案するならここです。

この中に、共産主義の人がいましたら、ここで論議したい。果してここがこうか、あるいは間違っているか、一晩やってもよろしい。正しいことを言っている方が、自と威厳が加わっていくでしょう。

日本人は、それも特に若い人に顕著ですが、仏教をはなから読もうとしない。欧米人は知らないから読まないけれど、日本人はいけないと思います。本を読むにも一人の人を選んで読まないからいけない。一人を選んで読んだら、信ずるとはその人を信ずることです。多勢、誰かれなしに読んだら、みな、信じない。読書とは選ぶことです。

何を読むかを選ぶこと、それから読むことが大事です。丁度、肉体を維持するのに大事なことは、何を食べるか選んで食べることであるように……。

大体が、人の喜びをそのまま喜び、人の悲しみをそのまま悲しむことを知らないだけでない。人、めいめい個性あり、主宰性あることを知らないように見えます。みんなが、別々にある状態です。これが人の喜びを喜び、悲しみを悲しむところの方で連携をとったなら、人、一人一人個性を生かし、主宰性を生かして決してバラバラにならない。集団生活はここからです。それが第九識。心の奥底だと言っている。大体、ここが間違っている。

共産主義にしろ資本主義にしろ、共に無茶です。共に無茶なのに、互いに、一方を悪くして他方騒ぎ回っている。一体、これは何の有様でしょう。そんなことをしていられる時代ならよろしい。つまり世界は平和だし、お芋は沢山できているし、ただ、腹さえすかせればいいという時代ならまだしも、そうはいかない。

第九識に依存して第八識がある。第八識は他のものはないが〝時〟がある。こう言います。時のうちには過ぎゆくという時もある。情緒としての過去、現在、未来の時を、道元禅師も、生命の律動としての有時（うじ）があると言っています。

人とは、過去の全体です。その人とは、その人の過去全体です。ところで、第八識には、他のものはないが時がそのまま保存されている。もちろん、過去は全部ある。それだけでない。現在も未来も全部ある。が、特に過去が全部あります。だからその人が、完全にあるといえます。個性はここから来る。

主宰性は、もっと上の第九識にあるのだろうと思いますが、何ともいえません。もっと上ともいえる。ここにも、この下の第七識にもあるでしょうが、個性はこれです。

私、よく日本民族ということを言います。自分の身辺のことよりも、日本民族のことの方が余程気にかかる。私は日本民族を熱愛している。この日本民族を熱愛することをもって、生きがいを感じているのです。本当の私であれば日本民族です。そんなことをどこかに書きましたが、そんなことを言うのは第八識でしょう。次に日本民族について少し言います。

## 日本民族の始まり

胡蘭成氏という中国人がいます。この人は日本に、二十年程、亡命している人ですが、近頃、日本語で「建国新書」という本を書いて、中日新聞から出しました。

胡蘭成氏は日本民族と漢民族は非常に親近感がある。もと同一の民族だったということを言っている。私も同感です。

氏と会った時、日本民族の始まりは、今から三十万年くらい前で、その中核の人達は他の星から来たのだと思うが、ところが三十万年ぐらいになるかどうか、方法がなくて確かめかねていると話しました。氏は帰って、日本なら古事記だけれど古事記では調べようがない。日本民族と漢民族は同じであるからというので、そこで中国の伝説の方を調べられた。これはどの時代が何年ぐらいというのが書いてある。それらを現代に至って計算してみたら、丁度、三十万年と数千年になるとのこと。一万年と違わなかった。

ですから私は、現代人類が持っている最も確かな文献によると、日本民族のはじまりは三十万年くらい前で、その中の中核は、他の星から地球上へ来たのであると思ってます。

この日本民族というのは、たえず一緒に暮していれば、心が一つになってしまう。それで日本民族の心が一つになる。この、上の心と一つになると、日本民族はこの上にある時の中に入ってしまう。ですから第八識にいますと、人によっては日本民族だけ、そのものとなってしまうでしょう。

日本人の場合、第八識といったら日本民族だけになることです。日本民族を熱愛するといったら、自分は第八識にいたらいいわけです。

第九識では、人はみな、非自非他の関係です。他といえば、人は一人一人、個性を尊重すべきであるし、主宰性の自由はその人に任せるべきものであるという点においてです。

しかし、人の喜びは自分の喜び、人の悲しみは自分の悲しみという点においては他ではないこれが非自非他です。人、本然のあるべき様、それが第九識です。

第八識とは第八識に私があること。大宇宙を尽して、ただ、日本民族あるのみとなることです。第八識に依存して第七識がある。第七識に至って、仏教の言葉でいえば大小遠近彼此の別がある。大小遠近というのは、空間という意味です。彼此の別というのは、自分と人との別という意味になる。第九識には彼此の別がない。

ところが第七識には、これは自分でそれは人であるという別がある。ですから第七識に彼此の別を入れたら、もはや第九識は完全に離れてしまう。第七識でも、空間だけ入れて彼此の別を入れないようにもできる。空間をも入れ、自他の別をも入れることができる。

五尺の体を自分だと思うのは小さな自分、これを小我と言います。

第九識を自分と思うことを真我という。多くの人は小我だと思っている。だから人に対する察しが良いためには、自分もそう思った方が良い場合がある。そういう場合には第七識にまで降りなければ察しがつかないでしょう。低いところは低いところで又、いる。

繰返すことになるが、まとめて言いますと、第九識は全一の点である。第九識は全体をつくしてただ一つであって、同時に一人一人個々別々である。これを個という。この個である第九識に依存して第八識がある。

この第八識には時がある。その第八識に依存して第七識がある。これは大小遠近彼此の別を表わしている。そうしますと、その第七識という心まで降りてくれば、その心の中に自然を描き、人の世を描き、五尺の体の自分を描くという時は、本当にふっくらと肉体をつける。自然もふっくらと土をもって自然にしている。みな、第七識の中に描いているのでしょう。

共通な性質もある。それを調べたければ模型を調べればわかる。共通でない性質もあります。ですからこれらのものが実在しているといいますが、第七識まできてその中へ描いたものです。このことを第七識の現われが、自分の肉体だというのですが、途中で自然も人の世も、みな描いてきている。それで人体のことを第七識ということもあります。大小遠近彼此だけを第七識ということもあります。

仏教はいつも使い方が融通無碍、デフィニションのようにピシッと決める方を喜ぶのではない。というのは高僧達が使う言葉からして、今の生徒に答案を書かせてペケをつけるための言葉ではありません。

先程、言いました通り、個を真我という。途中、そういう名前はありません。これに対して五尺の体を、最後には自分と思う。これを小我と言います。その途中、様々な自分がある。第八識の自分もあれば――これは日本民族のことです。第七識の大小遠近までの自分もあれば、大小遠近彼此まで入れた自分もある。

大小遠近まで入れた自分、これを理性我という。彼此はまだ入ってない。小我、理性我、日本民族、それから真我（一名大我という）大体、これだけである。

で、明治以後、物質主義を信じてしまって、日本人は小我を自分だとしか思えないようになってしまった。欧米人は小我を自分だとしか思えない。四智がうまく働かないのです。四智は頭頂葉に働くのですが、その頭頂葉が罪に汚れていて働かない。罪に汚れているのは明らかである。

例えばソビエトを見てみますならば、ソビエトは国としての自分をどう思っているかというと、力の強いものが偉い。そして偉ければ何をしても良いという、これがソビエトです。チェコに対するやり方をみるとわかります。では、アメリカはどうか、労働力というものは会社が金で買ったものだから、もはや、会社の物質であるという。これがアメリカの資本主義です。労働者の人格というものを、全然、認めていない。いわば奴隷制度の変形です。

欧米人が、私達は罪人の子孫である、宇宙から地球へ流された罪人だ、と直感のきく人は言っている。私、本当だと思います。何故か、目を見てごらんなさい。また、男女相親しむ様子を見てごらんなさい。罪人としか思えない。

## 弁栄上人のこと

私、それまで日本人は、山の芋の化け物じゃあるまいかと思っていた。ところが、欧米人が罪人にしか見えんようになってから日本人を見ますと、まだ、浮き油のごとく、久羅下なす漂える顔はしているが、だんだん、人の顔になりかかってきている。大いに見直しているのです。これは宇摩志阿斯訶備比古遅神の顔をしている。だんだん、形にでき上がって来ている。大分、真中の方に鼻が来ているのが多いし、鼻は高いし、また、おでこも高い。ビーナスの如く、アポロの如き鼻というのは、あれは洗濯ばさみではさんだみたいな鼻です。だんだん、そう見えてきた。あれは、非常に知力の進んだ星から来ている。非常に力もある。だけれど、柔らかな心臓があるだろうか。ないとしか思えない。感じられないのです。

罪に汚れると心臓は柔かに呼吸しない。そうすると情緒というものが出ない。頭が柔かに動かない。それがようくわかります。強いものが偉くって、偉ければ、何をしてもいいというのは野獣の心だという、そういう直感が働かない。奴隷制度ほど邪悪なものがないという直感が働かない。

もちろん、資本主義を一概には言えませんが、アメリカの資本主義は奴隷制度の名残りが入っている。それを日本人が無理矢理に真似ようとしているから、この資本主義はかなわんと思います。

共産主義といっても、兵力を持ち込まなければ大したことはない。だけど、奴隷制度の邪悪さを資本主義を通して持ちこまれるのを、非常に警戒すべきだと思います。

もう、今の地点においては、共産主義がいいの、資本主義がいいのという、そんな馬鹿なことを言うのは止めてもらいたいと言いたい。それを脱しきっていなくてはなりません。これを菩薩道というのです。それは人、本然の道でしょう。罪に汚れていなければ、その道しかないのがわかります。というのは、人というのは、そういう構造を持った個だからです。そのことを情という。中核が個でないものを強いとは言いません。また、そうでなければ生きているとはいわないのです。生き物とは、生命があるというのは、中核が個であるという意味においてです。

たとえ植物であっても、動物であっても、個でなければ生き物ではない。たとえ岩石であっても、中核が個であるなら生き物といえます。それが仏教でいう衆生です。

仏教は全ての生き物を、我が身としているといいますが、それは個を我が身としているという意味です。ですから自覚してその通りすれば、菩薩と自覚せずしてそうなっておれば生き物です。でなくては、生き物といえない。ただの動く物質、化け物にすぎません。こういう見方をするのが仏教です。

これは山崎弁栄上人によるもので、この方の言われることだけによって、他のものはひいてません。ですから疑うか信ずるかは、この方を疑うか信ずるかということになります。ところでこの方は、ごく最近生まれた方ですから、詳しい御伝記がある。御伝記を読んでみますと、一点の私心なしということがよくわかります。また、こんな話がある。

ある時上人は、群馬県の高崎へ修行に行っておられた。その時、新潟の柏崎という所――上人のいる所から三十里程隔たった所ですが、その寺の奥様が光明主義に入っていた。ところが、修行がうまくいかんというので悲観して自殺しようとなさった。

弁栄上人はこれを高崎にいてお知りになって、身を二つに分け、一半は高崎において皆と談笑し、他半は柏崎へ行って、丁度、寝ていた奥様の枕もとに立たれて、「仏思いの光明を胸に仏を種とせよ」、七遍繰り返して言ったわけです。そしてそのまま帰ってきて、また、体を一つに合わせて元のまま座っている。誰もそれを知らない。先の奥様が、弁栄上人がおいでになったと言い出したら、大騒ぎになった。こんな具合です。これ妙観察智です。その御人格といい、一点の私心もないところといい、御力量といい、又、この方の言っておられることを一々検討してみても、一々もっともで信じざるを得ない。しかし、私はこれを信じっ放しにしません。自分の目で見て確かめようと思ってます。

自然科学はでたらめを多く教えてくれたけれど、自分の目で見ないものは信ずるな、自分の目で見て自分の頭で考えて、しかる後に信ぜよと教えてくれた。これはいいことを教えてくれたと思う。そういう感情、というよりも意欲を教えてくれた。私もこれを、私自身の目で確かめようと思ってます。しかし、これを確めようとするとどのくらいかかるかというと、弁栄上人はこう言っている。

人類はこれまでは、単細胞からここまで肉体が向上してきた。肉体はこれまでで、これからは心の向上です。今、その向上の曲り角にきており、向上の方法が難しいから、それを示すために釈尊がお生まれになった、とそう言っておられる。弁栄上人もそのためにおいでになったのです。

人は今から修行して、心が向上しきれば仏になる。その仏になるまでどのくらいかかるかというと、単細胞からここに至るまでに要した時間の、二倍はかかると言っておられる。そうすると四十億年かかることになります。

ところが弁栄上人の御伝記を見ましても、ちょっとお話ししてもわかります通り、我々には釈尊の再来としか見えない。そうすると修行して、無差別智が弁栄上人くらい働くようにしようと思えば——そうしないと自分の目で見るわけにはいきません——四十億年かかるということになる。ところで地球が冷えすぎてその上で住めなくなるまで、頼りないのでもっと専門家に計算してもらおうと思ってますが、今、私が計算してもらったのでは、十五億年ないしは五十億年ということです。

もし、五十億年ゆとりがあるなら、この地上で確かめられる。もしそうでなかったら一時他の星へ移住する前に、今度は、途中の避難所へ避難しなくてはならない。避難所とは仏教で彼岸と言う。向う岸、心霊界と言う。そこへ避難しなければなりませんが、その彼岸において確かめるかのどちらかです。

いずれにせよ、自分の目で見ようとして、確かめようとして、私は始めています。だけれど、実際、確かめるまで四十億年かかる。この間、信じていなくてはしようがないでしょう。これが仏教を信じるということの、一つの意味です。私はその意味において信じてます。もし、これを信じないとするなら、確かめている間は、自分は完全な無知でいなければならない。これはまことに困る。第九識——これを疑おうと思えば四十億年たってからということになります。

それはさておいて、まず、人類を自滅から救うのは、ここ二百年ぐらいの間に掛かってます。日本民族は、これを目標にやらなくてはならない。一致して立ち上がらなくてはなりません。

## 労働者階級廃止論

人は個ですから、もとより不生不滅、時間は自分の中にある。しかし、不生不滅だったら余り無責任なことはできない。今、やり始めたら次に一息つけるのは、地上の全部を心霊界に移住させて、自分はというと最後に心霊界へ移って、御苦労様でしたと一言いってもらえたら、満足だがなあと思います。それまでに大体修行しておく。そしてその頃になれば自分の目で見えるようになる。こういうことをやろうと思えば、それこそ教育なんか正してやらないと難儀するでしょう。

教育については、ずいぶん調べました。結果、今の教育はひどく誤っていることがわかりました。

で、ここをこう変えてくれといっても、一向、変えてくれない。一体、どこへもって行けばいいのか。文部大臣に、ひざ詰め談判すると変えてくれるかというと、変えてくれやしません。それを支持している自民党、これが一向に無力です。何故、無力かというと、大体、自分が腐敗しているからです。左は気狂いじみて見える。

社会主義の目指すところは、日本から労働者階級というものを、消し去ることでなければならない。労働者階級を消すとはどういうことか。

人、一人一人が生きがいを感じて働くようになれば、それは生きる生命、喜びの発露であって、もはや労働者階級とは言えないでしょう。ですから、本当に労働者階級を消し去ろうと思ったら、人が一人一人、生きがいを感じて生きるようにすればいいのです。中心点はここにある。これが目標でなければならない。

しかし、今の社会党や共産党はどうか。労働者階級を自己の地盤にして、そして日本の国の方を解消してしまおうと、闘争をこととしている。

そういうことをやられると、社会党や共産党はいいでしょう。が、果して、労働者階級それ自体にいる人が幸福になるでしょうか。いつまでも労働者階級でおいといてやるから喜べ、というのですからお話しになりません。誰が労働者階級のレッテルをもらいたいものか、そう言いたい。そこのところを少し、お話ししたいと思います。

農業は比較的うまくいっていると思います。ところが近頃の日本は、一億、粟散(ぞくさん)の辺土に、数多くの人が住むようになった。鉱物資源とてない。畢竟、工業化に依存しなければ、食べていくことができなくなった。自然、工場労働者、特に職工というものが増えてきた。

この職工さん達が、果して、生きがいを感じて働き得るかどうかということです。私はそれが、一番うまくいっていると言われている工場へ行って見て来ました。

ソニーの厚木工場です。工場長の小林茂さんに案内してもらって、トランジスターを作る全工程を見せてもらった。非常に沢山の工程に分かれていて、私には目眩のするようなうず高さだった。そういう工程の一つ一つは顕微鏡的な細かさです。トランジスター全部を作るならまだいいが、そのごく小部分を作るのです。それもごく細かな操作をしなければならない。こういう状態です。

働いているのは、大体、八割までが女性です。その多くは、東北の田舎から来ていて、中学校を卒業しただけの若い娘さん達。

その人達の働いている所をずっと見回ったのですが、その働き方はもう完全な精神統一がされ、全く気が散っていない。それから目が輝いている。頬も光っている。それから見ても、完全に生きがいを感じて働いています。

聞いてみると、三年くらい、ここにこうして働くのが普通だということです。そうしますとその間に、顔が自と美しくなる。そして農村である東北の郷里へ帰ると、お嫁にくれと引っぱりだこだということです。

それを聞いて全く嬉しかった。戦後、これくらい嬉しかったことがないと思います。そこで帰ったらすぐ、お嫁に行きますから、お嫁入りしてからのこと、いろいろ慣れておくのにといって、花嫁寮というのを建てていました。後、一年位という人はそこへ入る。それからそこは、中学校出の人が多いですけれど、もう少し勉強したいという人達のために女性のための夜間高等学校が設けられている。

そこでは大多数は娘さん達が働くのですが、中には、子供さん達を連れた主婦がいる。労働力も農村とうまく結んで出している。こうやると良いと思います。農業と工業と合わせてやるといい女性でやれたもの、男性でやれないわけがないでしょう。と思う。

ソニーの厚木工場にも労働組合があった。乱暴をもって鳴っていたという。ところがだんだん、顔が美しくなるほどで、帰ったらお嫁入りが楽しみ。今は働くのが楽しみになって、労働組合に行くのが楽しみじゃないというようになって、一人出、二人出して、ドンドン減っていって、とうとう三人だけ残った。それはコチコチの共産主義者で、出たら行く所がない。それ以来、労働組合はなくなったということは、ソニーの厚木工場において、労働者階級というのが解消されてしまったのです。雲散霧消したのです。

一ケ所でできるものは、全体において可能でしょう。まず、これをやるべきだと思います。そうなると社会党や共産党はどうするでしょう。盛んに騒いでいる学生達だって、ないものを足場に騒ぎようがなかろうかと思う。考えて、もう少し、気のきいた体操をやるに違いない。

彼等のやることは体操だというふうにみなしてますが、今のは全く気のきかん体操、しかも気狂い的な体操をやっているとしか思えません。常人的な体操をやった方が、見ていて気持ちがいい。多少の利益もあると思います。

## 再建への構想

ここで一つ提案したいと思う。心さえ若ければ、老人でも入れるという形で、心清く、志高く、人が一人一人生きがいを求めて生きることを目標にする。そのように日本の民族がなっていくように骨折るという人達みんなで、〃党〃を作ったらいいと思います。

最初は党員が無償で働いたらいいと思う。それでは食えないというのなら、他の職業についてその余暇でやったらいいでしょう。

名前は何とでも勝手につけたらいいでしょうが、〝青年党〟としたらどうだろうと思う。というのは、大体、今の日本の国の有様は、右であろうと左であろうと老人です。

左は何だか、新しいの進歩的だのと言ってますが、彼等を見てると〝古池や蛙飛びこむ水の音〟という芭蕉の句を思い出します。

日本は、ドロンとよどんだ古池のような気がする。で、青年党を作って少しは体操をやったら、蛙が飛びこんだぐらいの働きはあります。そうしていく。それが宇摩志阿志訶備比古遅神（うましあしかびひこぢのかみ）、即ち始まりです。

今の学生、ひどく行動が好きだ。思うに日本民族は神道です。神道とは問答無用、行動に移すこと、行えない善い事業などというのはない。それに合っている。ただ、衝動的行為と間違ってはいけない。衝動的行為といったら、全然、神道ではありません。

神道でいうのは、頭頂葉に実る創造が運動領へ作用する。そうすると善行が行われるというところにあるのです。これがもし、前頭葉に実って運動領へ作用すれば、自分が善行を行うとなる。ところが善行とはエッセンシャルだけでトリビアルであってはならない。自分が行うなどということは、トリビアル中でも悪質です。これを〝我〟という。〝我〟のある善行などというものがあろうか、〝我〟とは汚れだという。

善行は頭頂葉に自ら実って、自ら行いに現われる。人はそれを見て感銘を受ける、そういうものです。これが神道です。衝動的行為は全く違う。時として側頭葉は、そういう役目をすると時実利彦氏は言ってますが、初め、側頭葉で引き金をひく。そうすると前頭葉が働きませんから無知です。頭頂葉も働かなくて無情になる。

この無知、無情に鉄砲の引き金を引くようなのが衝動的行為です。全学連のは衝動的行為です。無知、無情に引き金をひく。よく非行少年で、鉄砲打ちたいから打ったんだというのがあるが、この行為と全学連のそれと何ら区別がない。相似である。衝動的行為、これは側頭葉です。

もう一つ、〝都市大学〟というのを計画しています。町々を単位に講義を行うのですが、都市大学総長は日本青年有志。総長が顧問を任命することもできるし、講師を任命することもできる。好きな都市で好きなテーマについて、講義してもらうものです。

そして、人は生きがいを感じて生きるべきであるという考えを、ワッーと盛りあげる。下から盛りあげる。これ、宇摩志阿斯訶備比古遅神。それが全体に盛り上って、天之常立神。それができたら青年党というようなものから立候補する。そうやって着々と行って実力をたてます。これが国之常立神。それがまた、地方地方で、たとえば、京の町は京の町の個性と、それぞれの特長を表わしていくのが好ましい。これが豊雲野神。古事記でこうなります。

これと、更に天之御中主神、高御産巣日神、神産巣日神というのは、純粋直感と情操、情緒という気がする。ですから、それだけはなければ始まりません。

国はかく、浮き油のごとくして久羅下なす漂える時から後、男、女性に分かれて、いよいよ、クリエーションが始まる。しかし、この手のこんだクリエーションが始まる前に、それだけの間をやりあげてほしいのでしょう。それをやろうではありませんか。

（一九六八・一〇・一九　長崎大学にて）

# 葦牙（あしかび）よ萌えあがれ

# 愛国の叫び

今、日本の国には眼前に展開されている問題として、大学生問題があります。これは実に容易ならぬ事態だと思う。大学生問題と申しますと、日本に大学生は百四十万位と聞いています。そして大学の自治会は、主なものはことごとく共産主義です。この共産主義者の一団ともいうべき学生達の行動はどんなふうか。

たとえば多くの人々が、日章旗が一本でも多く上がればよいと思って、テレビに食い入っているメキシコ・オリンピックの最中——10・21デモの時ですが、学生達は、祖国ソビエトと叫びながら、日章旗を燃やす有様です。大体がこんなふうです。

これは大学という地域において、日本の国という結束が、全く破れてしまったことを示すものです。これはいろいろな問題を提供しています。

今、世界において民族は、国という強固な団結を作るのでなければ、生きていくことができない。それが人類の現状です。きれいな言葉は一つも通用しません。それで各国は国の結束を固めるために、真剣になって愛国を叫んでいる。それを言わない国は、敗戦後の日本だけです。以前にはかなり多く叫ばれていた、この愛国という叫びが、終戦後、何故、聞けなくなってしまったのか。ほとんど禁句のようにこれを言う人がいない。何故であるか。これが一つの問題です。

本当は人は不生不滅、不死の存在です。だから民族といっても血統ではないのですが、欧米人はみな、血統のことしか考えない。明治以後、日本もそうです。そういう人達にわかり易く言うため、これは本質的に大事なことではないが、肉体というものの血の繋がりについて見てみます。人にはどんな人でも二親がある。その各々の親にも、又、必ず二親がある。

こうしてずっと逆のぼって二千年昔にゆくと、親の数はどのくらいになるかというと、大体、一億になるようです。

今、日本民族は一億ですが、ともかく歴史あって以来二千年、その間の肉体の血の繋がりは、実に、非常に濃い血縁になって、それが同じ島に住んでいる。肉体の血の繋がりというのは、本当に枝葉末節なことで、それよりも人は不死であるということが大事ですが、それはここで言わないでおくとして、血の繋がりそれだけからみても、小さな島に実に血縁の濃いものが住んでいることになります。それを思いますと、団結して一緒に生きていけば良さそうなものを、一つにならない。団結しようとしない。

国民が一つに団結するのを愛国といいます、が、それをまるで禁句のように言わない。戦後二三、四年もそんなことを続けてきた。

そしてその結果は、大学という地域においては、もはや日本人の数よりはソビエト人の数の方が、多くなってしまっている、そう言わざるをえない現状です。これでは所詮、民族は一人残らず生きていけないようになりはすまいか。

この今日の世界情勢の現実の厳しさは、自由といっても幸福といっても国あってのことです。これは、先のチェコを御覧になればわかるでしょう。国あってこそ、自由もあれば幸福もある。戦車に踏みにじられたら、どこに自由がありますか。だから、日本という国を強固に結束して保っていかなければならない。これが愛国です。ですから、どこの国もそれを言うのです。

終戦当時、外国人は日本に向って、愛国とは全体主義であるとか、偏執狂であるとか、随分そんなことを言いました。事実、そんなものもかなり混ざっていたのです。

五尺の体を自分としか思えなかったら、愛国とは、畢竟、全体主義か偏執狂か、どちらかしかありえない。偏執狂の一番良い例は共産主義者のようです。民族は団結して一つの国を造らなければ生きてゆけない。そういうのが彼等の愛国です。日本もそれに少しは見習ったら良さそうなもの、終戦後朝野共に、この点を閑却してきた。

果して、大学という地域においても、日本人よりもソビエト人の方が増えてしまったようです。大学自治会が共産主義であるとすれば、そう見るより外ありません。大学自治会が共産主義であるということ、そして祖国ソビエトと叫んでいるということは、極端にいえば、日本人じゃないということになる。

こういうのを放っておけばどうなるだろうか。たとえ、放っておかないとしても、日本は滅亡せずに済むだろうか。はなはだ疑問に思っている。それにその点を言う人がいない。美辞麗句は命あっての物種、暴力がいるなら暴力を使ったらよろしい。

ただ、平和だ自由だと言っていても、ソビエトはチェコに入らないだろうか。現実に入っている。これが日本なら、アメリカに守ってもらわなければ、簡単に共産主義者の入ってくることが予想されます。もちろん、安保はいつまでもせよというのではない。しかし現状においては、それがなければ易々と入って来ることは十分、考えられる。

だから安保反対という人は、共産主義になった方がいいか、なってもかまわないという人か、もう一つは全然、算術のわからない人といえるでしょう。

## 今日の大学問題

もし、本当に教育すれば、日本の文化は高度に進みます。そうすれば単に、高い文化を持つというだけ、日本にはちょっと手がつけられなくなる。こんな小さな資源もない島にとって自衛の手段としてそういうことが考えられる。それだけでにらみが効きます。そうするには今の教育は問題です。

今の学生達は、日本を憂えて行動するのは上手だけれど、しかし工業に思いを致して文化を進めることは下手です。従って、教育から変えないと進みません。

これを変えるには、どうしたって十年はかかる。その間を守ってやろうという国があるのだから、守ってもらったらいい。念のために守ってもらうだけでも、何故反対なのか。断わっておくが悪いのは共産主義だけではありません。アメリカの習慣のうちには、良いこともあれば悪いこともある。その悪いことは、追い出してしまわなければならない。共産主義だってこれと同じです。その悪いことを追い出してしまおうと言っている。

それをやるのですが、共産主義から、つまり軍隊が侵入することから守ってもらわなくては困ることは、チェコの例を見ればわかることと思う。実際、軍隊が入ってきた時、どんな算数になるか計算して下さい。いとも易々と入れる。チェコよりもっと簡単です。

第一の問題は、何故、愛国を禁句のごとく言わなくなったかということです。

第二に非常に特殊な教育の現われが大学まできて、今日の大学生となった。ですからこの教育というものの根本原理について、丁度、眼前に結果があるのだからこれについて考えたい。

第三の問題としては、現在、大学という地域は、一口に言ってしまえばソビエト人であるというような結果を来たしてしまっている。これをどう処置するかという後始末の問題、この三つがある。これは非常に重大な問題で、それをごく軽くみているのが不思議です。

まず、愛国という問題ですが、これについては明治維新を考えてみたい。明治維新は、もしこれが成就しなかったら、日本は滅びていたに違いありません。

その明治維新は、明治の志士達が成就させた。志士とはどういう人かというと、自分の身辺のことよりも、日本の国の方がはるかに心配になった人達のことです。ところが一旦、明治維新が成就しますと、明治九年の神風連の乱、明治十年の西南の役、この辺を最後にしてその後、志士はほとんどいなくなった。全然ではないが、ほとんどいなくなった。

何故、こういうことになったかというと、明治以後、日本は、西洋から物質主義と個人主義を取り入れた、その故です。この物質主義について話します。

物質主義の代表は自然科学です。自然科学とは、ごく簡単な模型を考えて、その中を科学する学問です。自覚してやっているのだったら、実にうまいやり方だ。自然科学者は自覚しないでやっている。そうした結果はどうか。大体、物質の現象は多少はわかります。多少、わかっただけでも、たとえば、医学はかなり人類の福祉に役立っている。とはいっても、物質現象が多少わかるくらいです。

物質現象にしましても、たとえば、物質が色々の法則を満たすということよりは、かく物質が各々の法則を必ず守って決して背かないのは、何故であるか、このことの方がはるかに神秘的ですが、しかし、自然科学はこれに対して一言半句も答えようとしない。

結局、自然科学でわかるのは、自然の物質現象の、ごく極めて浅いところだけです。生命現象は全然、わからない。

大体が、非常に簡単な模型なのです。空間というものの中に、物質というものがあると、その物質というものは何であるかというと、途中工夫を凝らしても良いが、最後は肉体に備わった五感でわかるものが物質である、とこう決めている。それでわからんものはどうするか、そんなものはないと決めている。これは、ほとんど原始人的素朴さです。

これに対して、仏教ではどういうかというと、釈尊は修行するには五感を閉じてせよと教えた。これが修行からいう仏教です。

日本は明治まで千三百年もの間、仏教をあれくらい勉強したのに、これと全く話し合いの余地のない、正面から矛盾する主義、つまり、そういう物質しかないという仮定を、何故、取り入れたのか不思議に思う。これは、どういうことでしょう。

考えるに、日本民族の中核あたりは別として、一般の日本民族の頭は、これは倉にたとえられると思います。もちろん、頭ですからいろんなものをしまっておく働きをするのですが、矛盾しようとしまいと、一切、おかまいなくしまっておくだけです。これがどうも、大体の中核以外の日本民族の頭らしい。それから百年もたつのに、何にも思わない。

これと同じようなことを長谷川如是閑氏が、〃日本民族の多様性〃という表現をして言っておりますが、それにしても多様過ぎます。何しろどんなに矛盾しても平気で、矛盾しようとしまいと、それはしまうものの勝手だ、自分はただしまっとくだけだというのが、どうも大多数の日本民族の頭らしいが、これは話せばわかるようです。しかし、話さなければ決してわからないらしい。

これは長所でもあれば短所でもある。知的には、決して長所とはいえません。知の目で見ることができないのです。しかし、日本民族は、わからずに正しく行為することを知っている。それから情操の目で見ることは知っている。即ち、情と意の民族といえると思います。それで、いつも現状があった時にしか認識できない。これは今日も、そうに違いないと思っています。

大学問題という重大な問題が眼前にあるのに、認識ができないで呑気なことを言っている。これは、日本が滅びずにすむかどうか、わからないといった内容を含んでいる問題です。

## 命もいらず名もいらず

今、日本は教育を非常に重く見ています。そして大学生は発言力がある。その大半が、暴力革命を公然と標榜する共産主義者だとしたら、そしてその通り行動するとすれば、国は壊れてしまう。そういう現状を認識して欲しい。いってみれば、これは反逆行為です。外のことではない。一人残らず死んでしまうかどうかという程の問題ですのに、この事の重大さを知らなさ過ぎます。生きるか死ぬかですのに、その認識がない。

目の前に見える物質現象の、ほんの一部分しかわからないというのは、これは、完全な無知と言っていいでしょう。無知であることが厭ならどうすればいいか。仏教の言うことを聞くより仕方ありません。では、仏教では、どう言っているか。簡単にいえばこう言っています。

自然を浮かべ、人の世を浮かべている悠々とした心が、本当の自分である、こう言っている。悠々とした心とは、時間的にも空間的にも際限のない心で、これを〝真我〟という。これが物質主義であれば、五尺の体とその機能とが自分であるとなる。この五尺の体とその機能が自分であるというのを、〝小我〟といいます。

人は五感に頼りがちです。五感で見るものだけが、ある、存在する、逆にいえば、それしかない、それが全部であると思いがちです。それで〝小我〟という名前がついている。こういう小我は迷いである、真我こそが自分であるというのが、仏教の教えです。この真我を少し説明しましょう。

自然、人の世というのは真我の中にあるわけで、真我は時間的にいうと不死です。限りなく広まっていますから、自分が不死であるということがわかる。

西郷隆盛が〝命もいらず名もいらず〟ということを言っていますが、そういう行為というのが、なかなか行えない。本当は、それでなくては駄目なんですが、実際はこれが行えない。これを易々と行うのは、不死ということを知っている人だけです。そうでない人も、そういう行為を行っていますが、それは決して、易々と行っているのではない。

この不死を知って、命もいらず名もいらぬ行為を易々とできる人が、日本民族の中核といえます。そして非常に骨が折れるが、そういう行為の行える人は準中核。こういう中核、準中核の人達の行為によって、一般の人達を感銘させ、そこまでひき上げる。

準中核の人は、自分で難しい命もいらず名もいらぬ行為を、本当に知らなければいけませんから、そういう行為を、繰り返し、繰り返しすることによって向上し、そして中核にまでなる。こうして最後は、みんな中核になります。

そこまでひき上げようというのが、日本民族のとるべき道でしょう。これが菩薩道です。この、死をもって善行を行ってみせるというやり方、これは神道です。歴史を見ると、どうもそのようです。

日本民族は黙って行う。善行を行って死にます。無言である。一般の人達はそれを見て感銘する。感銘するというのは、情緒的にはわかるからでしょう。仏教でいう一番初めての菩薩の位を十信（信じる）、次は十回行といいますが、皆、そちらへ向ける行為だという。これ、日本民族は非常に上手です。

その次は十住といいますが、その中に住む。これが情操で日本民族はこれも上手です。その上を十地といいます。これは自覚だと思いますが、ここが全くできていない。

これができていなくて、そして情操のところと、行為のところが非常にできているものだから、日本民族の頭は倉じゃないか、ということになるらしい。いつも自覚、認識、そういうところが足りない。時間的にはそうなるようです。

空間的にはどうかというと、これは限りなく広がっている。どんなに広がっているかというと、人の喜びは自分の喜びであり、人の悲しみは自分の悲しみである、そんなふうに広がっています。これは観音菩薩の心です。だから、真我は不死である。即ち、空間的にみれば観音菩薩の心、これが真我です。

明治の志士達は、真我にはなっていません。なっていた人は、極めて少なかったでしょう。しかし、その傾向にあった人達、いわば、真我的な人達が、中核になって働いたものと思います。菩薩は、全ての生きものを、自分の体と思っていると言います。明治の志士達は、日本国民の体を、自分の体と思っていたもののようです。これは、すでに菩薩道と言っていい。つまり、明治までの愛国は菩薩道だった。従って、心は安定する。生きがいが感じられる。以後、ずっとそうらしいですが、しかし、何しろ、明治以後、言葉で間違ったことを教えましたから、畢竟、内容もだんだん、そうなってきた。それにつれて、真我的な人がだんだん減ってきて、小我的な人が次第に増えてきます。

小我的な人の愛国と言いますと、これはどうしたって全体主義になるか、そうでなかったら偏執狂になるよりしかたがない。大戦の終りに近づくに従って、日本にもそういう愛国が増えていった。しかも、この終戦後には、日本国新憲法の序文というものを高々と掲げた。これは内容的にどう言っているかというと、小我が自分であるということは、万古の真理であって尊厳な事実である、とこう言っています。

これをもとにして憲法、法律を作り、これをもとにして社会通念を作り、これをもとにして教育原理を作って学制を施行した。そんなふうですから、みんな自分とは小我のことだと思うようになったのは、自然の成り行きです。そうして、ここから愛国というのを考えてみると、なるほど、全体主義にあらずんば、偏執狂です。

これを終戦後、欧米人が、日本の愛国は全体主義か偏執狂であると、盛んに叩いたものだから、誰もが社会通念でそう思ってしまって、愛国ということを、ほとんど言う人がいなくなってしまった。全く禁句になって、今日に至ってもなお、それを言う人がいない有様です。愛国というのは、いけないことだと思ってしまっているのです。

しかし、実際いって、世界各国、いずれにしても国を造らなくては生きてゆけない。命あっての物種、生きる必要ということで、しきりに愛国ということを言っています。言ってない国は、アジアでも日本だけです。

こんなことで、今日まで、よく大学問題のような問題が起こらなかったものです。

次に、教育の問題について話します。

## 維新前夜

今日、ここにお集りになっている学生諸君は、非常に頼もしい感じがします。丁度、維新前夜、何かなすらん、という感じがする。

その点はいいのですが、今日の教育は、そんなものを造るつもりでやったのではない。政府の目的は、産業立国を目的としています。それで、できるだけ多く、工業的技術を会得したものを作ろうとして、あんなふうにした。それだったら、同時に大発明をやって欲しいに違いありません。

しかし、今日、ここへお集りの皆さんのうちに、工科をやっておられる方もあるでしょうが、機械にうちこんで大発明をしようというような人は、殆どなかろうと思います。それより情熱に燃えて政治的に行為したいでしょう。

そんなふうで、日本が本当に創造力を増すつもりなら、この教育は適当じゃないのだと思います。今の貴方達を使おうと思ったら、維新前夜の志士のように使う以外、あまり使いようがないのではなかろうか。ですから、そう教育すればいいと思うが、幸いその使い道がありました。学問が嫌いだから、かえっていい。あの頃の連中ときたら、坂本竜馬にしろ、高杉晋作にしろ、およそ、学問の好きそうなのはいなかった。それと同様、貴方達も維新前夜の志士のように働けると思います。

大発明をやったり、文化をうんと進めてにらみをきかしたりは、やっぱり学問が好きでなければそれはできません。

ところが、中に、例外的に非常に良い小、中学校がある。そういう所へ行ってみると、顔つきが素晴しく良い。そして、話すことがスラスラと心へ染み透るように伝わる。それは表情の動きで手にとるようにわかる。今は、というと話しかけても通らんのが原則です。一般の学生がそうでしょう。それなのに染み透るように透るというのは全く異例です。

こんなふうに、少数だけれども例外があるというのも、また、厳然とした事実です。こういうのは極めて少数、大体は非常に悪い。悪いことは全学連を見たらわかる。あれが大多数で、話し合いの余地なんか全くない。どんな顔しているか、よく見ればわかると思います。

しかし、中に少数だけれど完全な例外があるというのは、何を物語っているかというと、小、中学校では特に、教える先生によって善し悪しが非常に変るということです。結局、外の何よりも、どういう先生がどう教えるかということが、非常に大事だということになります。
明治まで師の道と書いて教育原理はこれだと言っていた。それが明治以後言わなくなった。しかし今事実を見てみると、師道によって変るという外、解決のつけようがないように思います。

事実、良い父兄がバックアップして、良い校長のもとに良い先生が集まって教えている所は顔付きまで素晴しい。これ、厳然たる事実で理論の裏付けです。

小、中学校というのは、情緒の芽生えの季節である。人というのは何かというと、その人の過去の全体です。過去というと人は不生不滅ですから、生まれない前の過去もあるわけです。その後、時が人に変っていく。これが情緒の芽生えの季節です。どんなふうに変っていくかというと、時という食べ物を大脳前頭葉という口が食べて、咀嚼玩味してエキスに変えていく。そしてそのものを頭頂葉に貯えていく。こうして時が人になっていきます。これをなしていくに、その一番もとの大事なところが、小学校、中学校ということになります。

〃時〃というものが、どんなふうにエキス化されるかというと、時のうち、知的なものは印象化されます。これは存在感のないものはとれてしまい、あるものだけが残る。そして知的情緒になる。これが頭頂葉に貯えられて、情緒の素となります。

情緒というのは、何がしかの意味で自分を入れなければ、色彩りが出ない。自分というのは前頭葉にあります。だから、一旦、ここから離れると情緒の素になる。そしてそれが、個々に現われると情緒になるのです。だから自分に帰って貯える時は、情緒の素（これを情操といってもいいが、情緒の素という方がはっきりしている）となって貯えます。知はそういうようになる。

〝情〟はどうなるかというと、純化される。というのは、いわば紅、白粉がとれて素直になる。そして情的情緒になるのです。これもその素が貯えられます。

意的なものはどうなるかというと、霊化される。霊化の霊は霊魂の霊です。これはどんな意味かというと、人の意志は、大体、生きようとして働く。これは盲目的意志だと言っていいでしょうが、その盲目的なところがとれて、向上しようとする正しい目的を持った意志に変る。これが意志霊化です。そしてこれもやはり意的情緒とその素が貯えられます。

感覚はどうなるかといいますと、これは浄化される。浄化とは、その如く汚いもの、汚れたものがとれて感覚的情緒となって、これもその素が貯えられます。

かようにして、時がだんだん、情緒の素となって頭頂葉に貯えられていく。それにつれて人はそれだけ成長する。小、中学校の部分というのは、そのうちでもその人の全生涯の基礎となる。ああいう時が、特に大事です。それまでも大事ですが、生まれてから後、時をはっきり自分として、その人が貯えていくのは小、中学校。ところがこの時期は、大脳はまだそれほど前頭葉が発育していないから、咀嚼玩味する力が弱い。

大体、咀嚼玩味が自分で十分できるのは旧制高等学校、丁度、今の高等学校三年くらいで、それまでのものは先生がかなり咀嚼玩味してやる。小学校なんかは非常に咀嚼してやります。食べ物でいえば、親が口でかんでやって子供の腹に移してやるように、先生が情緒化して子弟に移します。

噛んでやる時につばきまでが混じると同様、ここでは先生の人格、品性が混じる。物の見方が混じります。そこで師弟の心が通いあう。幸い、日本人は特に師弟の情が深い。この師弟の情というルートを通して頭頂葉まで送りこまれます。

今の教育では、これが片寄ってます。そして偏見、片寄りのまま、伸びてしまった。これは松の木がまっすぐ伸びるべきを、地面にそって横に伸びたように直しようがない。小学校でこれをやられたら、直しようがないくらいです。これがイズムです。共産主義なんかはイズムの典型的なものです。

## 青年の秋(とき)

かつて、日本の忠君愛国にも、かなりのイズムがありました。しかし、あれはまだ少ない。他方、物質主義は虚無主義になります。

これを、日本に昔からある言い方をしますと、地獄道の人といえます。その外、餓鬼道、畜生道、みんな入ります。これは片寄った変な見方、あるいは汚れをいう。これら汚れが頭頂葉に入ると取れない。そして発育不良になります。

今の教育の教え方では情緒、情操ということを全然、やっていない。欠点を数え出して、嫌悪さすことばかりやっている。情緒、情操の入る余地のない有様です。それだから発育不良になる。

共産主義者はマルクス、レーニンを神の如く崇めているが、わからないのは、祖国ソビエトということをよくわからせるのが、日本民族の幸福のためであると思っていることです。自分は、自分のことなんか考えてない、日本の幸福のためを考えているんだ、と言います。これはどうしたって偏見です。万一、そうにでもなりましたら、日本民族は所詮、生きてゆけないと思います。

一国が、立派に国として立ってゆこうと思えば、二つのものがいる。一つは、心を一つに合わして働くということです。これはマネージメントの問題。

もう一つは、創造力、クリエーションの問題です。創造力というのは、頭頂葉より無差別智が働いて頭頂葉に実るものです。従って、頭頂葉が汚れたら万事おしまいです。逆に、頭頂葉がよく働いていれば、前頭葉を道具に使えます。そのまた道具に側頭葉を使えるが、頭頂葉に無差別智が働かなくなったら、万事おしまいです。

それが今は、頭頂葉を汚れさせたり発育不良にしたりすることばかりです。これではとても、創造力を増すなんて考えられない。先に上げたマネージメントの問題でも、たとえば、会社なら会社が心を一つにして働くというのも、今では難しい状態であるようです。

すると、これがたとえばチェコのように、言ってみれば属国のような立場にある国では、属国としても存続する力はないと見るよりしかたない。そうするとだんだん、ソビエト人が入ってきて、チェコの人々はアイヌの如く痩細って、衰退していくということになる。

アイヌにユーカラというのがあります。これは、かつてアイヌが盛んだった時の叙事詩で英雄のことを言っている。同じように、日本人が三々五々、陽だまりかどこかに出て、昔を偲んで秀吉の英雄叙事詩かなにかを読んでいるのを考えてみて下さい。これは悲惨です。

そんなふうに、なるもならないも、今、日本がここで踏みこたえるか、こたえないかにある。今の教育のなすままに任せておくのでは、単に、独立国日本がなくなるというだけではない。属国としてさえも生存する力がなくなって、やがてアイヌの如くなるに違いない。そうとしか思えないのです。

教育という面から見ても、国がちゃんと生きるためには、今、言った通りの二つのこと、即ちマネージメントがうまくいき、クリエーションがうまくいかなければ駄目です。

マネージメントとは心を一つにして働くということ、これは菩薩道なら非常にうまくいきますが、物質主義で、しかも欠点ばかり捜し出して嫌悪感を起こすことばかり稽古さしていたら、それができていく筈がない。これでは、全然、生存力がなくなる。

こういう事態は、これは誰が惹起したのか。これは明らかに、現、教育界の要になっている日教組、高教組、および、六割とか聞いてます大学の共産主義の先生達のやったことに違いないと思う。でなければ、色々の思想があるのに、あたかも共産主義しかないように、それしか言わないということは絶対ないと考えます。これは、いわば、国に対する反逆です。結果としてもそういう事態を引起こすことになると思う。

これを良く認識した上で、まず、こういう学生が増えることを押えなければならない。とすれば、こういう教育を続けさせてはならないということになります。

創造力の問題ですが、創造は頭頂葉に実ると言いましたが、これは創造のうちで真善美の善を見れば、一番よくわかります。善は頭頂葉に実る。そして、この頭頂葉から運動領へ命令して、それが行為となって善行が行われることになります。もし、これが前頭葉あたりに実って、前頭葉が頭頂葉へ命令しますと、自分が善行を行うとなる。つまり自分が行うなどというよけいなものがつくのです。これ、染汚(せんな)といって、最もたちの悪い汚れです。

道元禅師は特に〝染汚〟と言っておられる。これはとても善行とは認められません。前頭葉に実るとするとこうなります。

シュヴァィツァー博士というのは、見上げた男ですが、彼の善行は全て善といえます。これは頭頂葉が大事です。マネージメントも菩薩道が大事で、いずれにしろ、今の教育では到底、国力は得られないものと思います。

それと一番に心配なのは、日本の事態が、かように重大であるのに、まるでみな興味半分の野次馬で眺めていることです。本当に今ここで踏みこたえきれなかったら、日本はアイヌの如くなって、次の瞬間には消えてしまうでしょう。そうなってしまわざるを得ないと思う。

日本民族は長い間一緒に住んで、肉体はまるでがんじがらめの血縁になっている。血縁だけから見てもそうですから、こういう日本民族が強固な団結でもって、一つの国を造っていきたい、誰もがそう願うものと信じます。資源も何もないこんな島に、しかも血縁のこんなに深い人達が集まって、つつましく生きて行こうとしているのに、何故、その結束を乱さなければならないのか、まことにけしからんことだと思います。

日本民族は、今、体にたとえると横隔膜の病気になっていると思う。

横隔膜が力を失いますと、肺も心臓も力を失う。胃も腸も良く働かなくなる。それで死んでいってしまう死病です。これ、昔から病膏肓に入ると言っていますが、何故、横隔膜が弾力を失ったかというと、日本はこれまで中国、インド、西洋、そしてアメリカと、四度、外国の文化と接した。その度に、ひどい害を受けたのは横隔膜です。それでだんだん、生命力を失ったらしい。

古事記で申しますと、初めに天之御中主神。それから高御産巣日神。神産巣日神。この三柱の後に浮き油の如く、久羅下なす漂える時、葦牙の如く、葦牙っていうのは葦の芽のことです。泥の間から芽が出てくるのですが、この葦牙のごとく萌え上がるものによりてなりませる神の御名は、宇摩志阿斯訶備比古遅神。それから天之常立神。二柱と、こう言っています。

民族精神が下から盛り上がって、それが一つの強い民族精神の高揚を造る。これが本当だと思います。これ、五柱の神は、別天神と言っている。天神というのは、天神の中の天神、容易に目では見えぬ天神です。

目には見えないが民族精神高揚の基、これができましたら、それを基盤にして国之常立神。つまり政治力を造れる。そして、これができましたら次に民生の問題があります。〝民生〟というのは中国語で経済ということに当る。日本ではエコノミーを経済と訳しますが、中国でいう民生の方が正しいと思う。つまり民衆の生き方ということでしょう。即ち、政治力ができれば国民の生き方が大事で、それが豊雲野命（とよくもぬのみこと）、国之常立命となって万事でき上がります。

その基はといえば、宇摩志阿斯訶備比古遅神です。各所から芽が萌え上がって、それらが一つの民族精神に高揚する。そして強い民族精神の高揚の膜を作れば、この難局は乗りきれると思う。というよりは、それしかこの難局を突き破る道はないと思います。

青年という時期は、情熱によって行為することができる、そして情熱によって行為することによって、自分という芽をドンドン伸すことができる時です。行為して、国を良くすることができれば、自分もまた伸びることができます。こういう特権の与えられているのが、青年という季節です。

ですから、日本の青年、男子女子を問わず、立ち上がって民族精神の高揚のために、情熱を傾けて行為して欲しいと思います。

（一九六八・十一・二一　京都大学にて）

# 教育の原理

「教育の原理」は、一九六八年十二月、坂田文部大臣にあてられた。これは四十年間にわたる思索の総結集として岡氏が熱情こめて国民へ送る民族の書であり、今の時に必須の人間指針といえる。

## 1

日本は、終戦後暫くして学制を改革した。それから二十年位経った。そして今、こんなふうに教育すれば、どのような大学生ができるかという、その結果が眼前にある。これは一つの実験をしたことである。

私達は非常な犠牲を払ってしたこの実験から、教育の原理をしっかりとつかみ取らなければならない。何しろ二十年の全く誤った教育は、国にとっては実に二十年の空白であって、これだけでも国はどうしてやって行くだろうと非常に心配になるのであるから、今度又、間違えたらそれは国の滅亡を意味することを十分自覚して、各人は、これ迄の一切を捨てて、虚心坦懐に新教育原理を確立しなければならない。

それと共に、少しでも速くそれを成し遂げて、即刻、徹底的に教育を変えてしまわなければならない。それで、これから私の把握した教育原理とその理由とをお話ししよう。

## 2

教育の結果は明らかに驚くほど悪い。これは厳然たる事実である。

更に些細に見れば、知的に説得できない学生が非常に多いというのだから、小、中学校の教育に非常な問題がある。これも、人の子の知情意の生立ちには、季節というもののあることを十分よく観察して、十分よく知っている私には、厳然たる事実に見える。

このような言い方をしなくても、じかにこう言うことも出来るだろう。学校教育が大切ならば、ものの生立ちは皆中心から出来てゆくのであるから、その始まりが一番大切である。

こう言ってもわからない人は、恐らく学校教育とは学問を教えることだと思ってしまっているのであろう。

日本にはそういう人達が、恐らくは明治の初めから、実に多いのであるが、これは全く誤りであることを、後に改めて述べる。本当は、学校教育の目標は、旧制高等学校迄は、頭を発育させるにある。だから初めが一番大事なのである。

かように小、中学校の教育について、一般には非常に悪いということは、私には厳然たる事実に見える。それと共に、ごく少数ではあるが、例外の小、中学校の存在することも、又、厳然たる事実である。

たとえば、かつて嶋正央さんが校長をしていた頃の、三重県の尾鷲小学校（但し終り頃を除く）大阪市の北陵中学校、長野県の竜野中学校及び信州大学付属中学校がそれである。一般の小、中学生の顔付きは、新学制実施以来全く悪くなってしまったのであるが、これらの学校は、反対に児童生徒の顔付きが非常によく、私が講演しても、私の念とする所が、子供たちの心によく染み透ることが、表情の動きですぐわかる。

かつての尾鷲小学校だけは、詳しく授業を参観した。この学校は、親たちがこの優れた校長をバック・アップしなかったから、校長が転校する直前には、日教組の先生達ばかりになってしまったのである。

恐らく日教組はまた例の手を使ったのだろう。それは、本当は共産主義を教え込むことしかしていないのに、成績だけは非常によく付けるのである。そうすると馬鹿な父母は、あの先生になってから子供の成績が急に上がったと思うのである。世にはびこっている弊風の点数主義を巧みに利用したのである。こんな風では、文部省がテストを是非するというのも尤もである。

他の三中学は、校長が実によく、親たちもよくこれをバック・アップしていて、先生達が皆よいのである。これから教育原理の基本をつかみ取ることが出来る。

小、中学校の教育は、何よりも先生が大事である。

## 3

何故こういう結論が出るかという、私の理論をお話ししよう。過去なくして突然現在ある人というものはありません。その人とは、その人の過去の全体である。

それでは、大脳生理学的にいって、時がどのようにして人になっていくのだろう。

時は流れて、未来は絶えず現在になり、その各現在は過去になっていっている。その各現在の中に、知的なもの、情的なもの、意的なもの、感覚的なものがある。

人は、いわばこの食物を、大脳前頭葉という口に入れて、咀嚼玩味してエキス化し、それを大脳頭頂葉に貯えるのである。こうして時が人になって行くのである。(これまで私はこのエキスのことを情緒（の素（もと））と呼んでいた。しかしそう言うと、聞く人は情的情緒だけに取りがちだから、今回からエキスと言うことにした。精又は精粋と訳すればよいだろう。）

どのようにエキス化するかといえば、大小遠近彼此の別を除くのである。彼此の別とは自他の別である。

特に小学六年間の人の子のこの操作は重要であって、人の中核たる、無形無色のものは、生後三カ年の「童心の季節」に出来てしまうのであるが、それを取り囲む有形有色の中核は、この小学六カ年の、私が「情緒の芽生えの季節」と呼んだ期間に出来上るのである。

ここでも、情緒というと、知的情緒、意志的情緒が含まれていないように人は思いがちであるから、今後は「中核発現の季節」と呼ぶことにする。

この季節は中学三年間位までは延長出来そうに見える。しかしそれ以後は、この中核の有形有色化は、非常手段に依らなければ、出来ないだろうと思う。

このことを、言葉を変えてこう言うことが出来る。大脳前頭葉の発育期は小学六カ年である。それ以後は、頭頂葉が働きを発揮し、その働きが前頭葉に及ぶのである。

4

ところが、大脳前頭葉が発育して、十分よく咀嚼玩味出来るようになるのは、旧制高等学校の頃からである。これは私たちの頃の教育を見て言っているのである。

それでは小、中学校の頃、児童生徒はどうして時をエキス化するのかと言えば、先生が十分にエキス化して、それを師弟の情という、心の通い合いのルートを通して、弟子の心に送り込むのである。

だから、本当に食物ならば先生の唾液が児童生徒の胃に入るだけであるが、心の食物の場合には、先生の人格、品性が、児童生徒の頭頂葉にたまるのである。悪い場合は汚れとなり、良い場合は高い香りとなる。

だから明治以前には、教育は先生と弟子との裸の人格の触れあいによってしたものであって、これを師道というのである。師道の一番うまくいった例は、吉田松陰の松下村塾であって、これ又、厳然として存在する事実である。

弟子は長州藩の、殆どが下級武士の子弟で、数は二十人に足りなかった。また教えた期間は、終り頃は松陰は藩の野山の獄につながれたのであるが、それを入れても二年足らずである。

松陰はこの間に、自分の烈々たる気魄を弟子達の頭頂葉に植え付けることに成功した。言葉を変えていえば、自分の燃えている頭頂葉（仏教でいう第九識（心の奥底））の火によって、弟子たちの頭頂葉に火を付けたのである。松陰は孟子なんかを教えているが、その手段として使ったに過ぎない。

松陰という人をよく見ておこう。安政の大獄で松陰は野山の獄につながれ、次いで江戸に送られて取り調べられた。かくして斬罪が決まり、その日になりその順が来て、「寅次郎（松陰の通称）立ちませい」と言われて立ち上がった時、松陰にも実に意外だったことには、突然心の底から喜びが込み上げて来た。それで、この急がしいさ中に、一寸待ってくれと言って、その事実を一首の歌に書き残した。

私は、科学的証拠として、その写真版を持っているのだが、字が難しくて十分よくは読めないのである。どうしてこういうことになるかと言えば、日本民族の中核の人たちは皆、自分は日本民族の心という同じ一つの心の中から生まれて来て、又、そこへ帰っていく一ひらの心だと思っている。

だから、そういう人にとって、死ぬということは、心のふるさとへ帰るということだからである。私はそこまでは知っていたのだが、死の刹那に大歓喜を感じるということは、この歌によって初めて教えられた。

こういう人だから、あんなに巧く教えられたのであって、松陰によって心の奥底（第九識、頭頂葉）に火を付けられた弟子達の活動によって、明治維新劇の幕は切って落されたのである。

松陰門下の行動の激しさは全く胸のすく思いがする。そしてこの明治維新がなければ、日本は滅亡していたのである。明治維新は大いなる創造である。松陰の教育こそは、創造的教育である。

## 5

前二節に見た所を十分よく検討しよう。

今大抵の日本人は自然科学を信じ切っている。しかしまずここから検討しなければ、ここをそのままにして、その上に積んだものだけを検討したのでは、何をしているのかわからない。日本の存亡がかかっているとき、そんな不謹慎な慥かめ方は出来ない。

自然科学者は無意識的にこう思っている。初めに時間、空間というものがある。その中に物質というものがある。これはどういうものかと言えば、途中はたとえば望遠鏡を使うとか、赤外線写真にとるとか、色々工夫してもよいが、最後は人の肉体に備わった五感でわからなければならぬ。五感でわからないものはないというのである。

この、一口に言えば五感でわからないものはないという仮定は、全く原始人的な仮定である。

しかるに大多数の自然科学者には、これが自明としか思えないから、疑うこともできないのである。ごく少数の欧米人は、すぐわかることから順々にわかって行けば、ついには全体がわかるだろうと思って、この仮定を黙認しているようにも見えるが、このやり方では超えられない限界があるかも知れないとは思っていないのではなかろうか。

話をもとに戻して、時間、空間というものの中に、物質というものがある。この物質が自然を作っている。その一部分が自分の肉体である。物質は時間と共に変化する。そのため働きが出る。肉体とその機能とが自分である。

自然科学者は誇らし気に、ここでその無言の口を閉じている。どうだ、これで重要な観念は言い尽くしただろうというわけである。

これはしかし、自然のごく簡単な模型に過ぎない。時間という観念も、時という観念の中の、時は過ぎゆくという一属性を形式化したものである。自然のこの模型を物質的自然ということにしよう。

今から二千数百年前、釈尊は仏道の修行は五感を閉じてせよと教えた。釈尊は、そのはるか前から印度にあった修行法に完成を与えたのである。五感でわからないものはないとしか思えないというのは、どんなに原始的な知性か想像がつくだろう。

日本は明治まで千三百年間仏教を熱心に勉強した。それだのに、釈尊のすすめる所と、自然科学者の暗黙の仮定とは完全に相容れないのに、明治以後、自然科学を無批判に取り入れて今日に及んでいる。日本民族の一般の人たちの頭は、単に知識をしまっておく蔵のようなものであるということの、これは確実な証拠である。

長谷川如是閑氏はこれを、日本人の多様性と両極性と言っているが、実はそれくらいのものではない。

民族のこの癖はなかなか急に直せそうもない。だから日本民族は、多数の言うことが正しいとする判定法は、決してとってはならない。これを忘れると滅亡は避けられないだろう。

自然科学に戻って、こんな簡単な模型の中だけを調べて、生命現象がわかるものだろうかという疑いが起こる。それで一つ聞いてみよう。

人は生きている。だから見ようと思えば見える。これは何故か。果して自然科学は一言も答えられない。人は立とうと思えば立てる。このとき全身四百いくつの筋肉が瞬間に統一的に働くのであるが、どうしてそういうことが出来るのか。自然科学はこれに対しても一言も答えられない。かように、自然科学にわかるものは物質現象に限られている。

それもほんの一部分である。何故ならば、たとえば、物質が常に法則を守って、決して背かないのは神秘であるが、自然科学はこれに対して一言も説明しようとしないから。

## 6

自然科学が生命現象について全く知らないとすると、教育のような複雑な生命現象は何に聞けばよいだろう。今人類のもっている知識の中で、その可能性のあるのは仏教だけである。

しかし大勢に聞けば聞くほど、誰を何処まで信じていいのかわからなくなるという不正確さが入る。国の命運を托そうという時であるから、一人の高僧を選んでその言う所を聞く一方、その人を十分調べるというやり方をしたい。幸い一人、丁度よい人がいる。

山崎弁栄（べんね）という上人がある。明治より少し前に生まれ、浄土宗に入門して修行し、僅か四年足らずで仏眼了々と開いて見仏し（これは史上最短で、釈尊は五年、法然上人は二十余年かかった）、一切経を読破し、浄土宗を出て新たに一宗光明主義を創め、大正九年に亡くなった。

光明主義について数多くの御著述がある。また御伝記もよくわかっている。

まず、その人を調べよう。

「弁栄上人伝」（田中木叉著）を見てまず驚くことは、人がここまで私心を抜き去ることがよく出来たものだということである。

また御力量の底が知れず、数々の奇跡を行っておられて、御伝記に載っているものだけでも、奇跡を愛する人の心を満喫させてくれる。御伝記以外のものを二つ述べよう。

或る信者が自然科学全書といった風なものを差しあげた。部厚な本である。上人はこれを左手でもって、右手の親指を本の腹の所に当て、ピーッと頁を鳴らした。信者がそのわけを聞くと、はい、これでわかりましたと言われる。余りに不思議で、御許しを得て所々を聞いてみると、すらすらと答えられた。これは大円鏡智という知力の働きである。

上人は巡錫して、群馬県の高崎にいた。その時、そこから三十里程へだたった新潟県の柏崎の或る寺の奥さんで、籠島咲子という方が、光明主義に帰依していたのだが、お念仏が巧く出来ないというので自殺しようとした。如来さまのお告げでそれを知った上人は、直ちに身を二つに分って、一半は高崎にいて信者達とさりげなく談笑し、他半は柏崎へ行こうと思うと、もうそこへ行っていた。そして丁度寝ていた咲子さんの枕辺に立って、

「仏思いの光明を、胸に仏を種とせよ」と七遍繰り返して言って、帰って来た。

これは、身を分つのも、思ったら行っているのも、妙観察智という知力の働きである。

さて、弁栄上人の著述の言う所を聞こう。

宇宙開闢の初めは第九識である。(仏教には心を層に分って説く習慣がある。第九識というのは心の奥底である。)

第九識は一面唯一であって、他面一人一人個々別々である。第九識の唯一の一面を如来(無量光寿の如来)といい、一人一人個々別々の一面を各について個という。

如来と個との関係を不一、不二という。二つの個は一面二つ、他面一つだから、「数は」といわないで「量は」というのだが、個の量は無量である。

第九識にあるのはこれだけであって、時もなければ、大小遠近彼此の別もない。(彼此の別とは自他の別である)以下は各個について言う。

第九識に依存して第八識がある。ここには時の全体がある。

第八識に依存して第七識がある。ここに到って初めて大小遠近彼此の別がある。

この第七識(と言えば第八識も第九識も、その中心をなしているという意味で、皆入る)の現われが自然や人々やその一人として自分（五尺のからだ）である。

私は、第八識と第七識との区分法を変えた。しかしそれは単に言葉だけの問題である。

真の自分とは個のことである。これを真我という。しかし人は迷って五尺の体を自分と思い勝ちである。これを小我という。

無量光寿の如来以外は、仏教は一致してこう見ていると思う。

それでは人が知覚運動出来るのは何故かと聞くとこう答える。人の普通経験する知力は理性のような型のものである。意識的にしか働かないし、わかり方は順々にしかわかって行かない。

しかし仏道を修行すると、これと全く型の違った知力を経験する。無意識的に働いて一時にパッとわかる。かようなものを無差別智という。

知力とは知情意に働く力である。無差別智に四種類ある。大円鏡智（だいえんきょうち）、平等性智（びょうどうしょうち）、妙観察智（みょうかんざっち）、成所作智（じょうしょさち）。人が知覚運動するのはこれらの知力が個（真我）に働くからである。見えるのは四智皆働くからであり、立とうと思えば立てるのは妙観察智が働くからである。

そうすると人は、まるで無差別智の大海の中の操り人形のようなものである。それだったら人が実際その中で住んでいる自然は、単に五感で直接間接にわかる部分だけではなく、五感ではわからないが無差別智の絶えず働いているような所でなければならない。

無差別智は個の世界の現象である。ところが、個の世界は、二つの個が二つであって同時に一つだというのだから、数学の使えない世界である。しかるに物質的自然は数学の使える世界である。だから人は物質的自然の中には住み得ないのである。

わかる程ずつ順々に拡げて行く方針で、まず物質的自然を調べようと思って、そうしている人がもしいても、数学の使える世界から数学の使えない世界への飛躍は出来ないであろう。ましてて時間、空間とは何かということまで究明しようとすれば、全一の点（第九識）から展開して行くより外、成る程仕方が無かろうと思う。実際、人の子の内面的生立ちを見てもそうなっている。よく見て欲しい。ここで真我というものをよく見ておこう。

真我は不死である。何故ならば時間の中に真我があるのではなく、真我の中に時間があるのだから。

西郷隆盛は大丈夫であるための条件を色々挙げている。その中、初めの二つが特に大切である。「命もいらず、名もいらず」しかし、普通に行為すれば、それがこの通りになるためには、不死の自覚がいるのである。（真我の時間的一面）

真我は空間的にも限りなく拡がっている。その拡がり方は、普通、人が自分と言っているものは真我の自分である。普通、人が他と言っているものは真我の非自非他である。人各々個性もあれば主宰性もある。だから他は自分ではない。しかし他の喜びは自分の喜びであり、他の悲しみは自分の悲しみである。だから他は他ではない。

普通、人が自然と言っているものも真我の非自非他である。

自然は人倫ではないとは思わない。その自然という他と自分との関係は、前に言った意味で非自非他である。だから真我の人の心は観音菩薩と同じ心である。

ところで、私は弁栄上人の説をそのまま信じようとしているのではない。自分の目で見て慥かめようとして、既に始めているのである。しかしそのためには、修業して目がよく見えるようにしなければならない。それにどれ位時間がかかるかということであるが、弁栄上人は、人が発心して修業を始めてから、仏になる迄にどれくらいかかるかというと、単細胞生物として初めて地球上に現われてから向上して人となる迄に要した時間の倍かかると言われた。

そうすると四十億年である。ところが上人は、私たちが見ると、釈尊と殆ど違わない。だから目が上人ほどよく見えるようになるには四十億年かかる。

この四十億年という時間の長さは、地表が冷えすぎて人類が住めなくなるまでの時間の長さとコンパラティヴである。どちらが長いかよくわからない。だから慥かめるまでの間はともかく信じて置くより仕方がないのである。

弁栄上人はその御人格といい、その御力量といい、この人のいうことは疑えと言われても疑いにくい。だからごく信じ易いのである。だから私は、この人を信じて、国の命運をその学説の上に托したいと思うのである。私には外に方法が見当らないのである。

自然科学は、その範囲を物質現象の一部に限るならば、学問であるが、これも本当は信じているのである。差は、唯、信じ易さにあるのである。

## 7

かように物質的自然界の中にあるものは物質現象の一部分だけである。

ところで、一歩その外に出ると、もう一面に無差別智という濃い霧が立ちこめている。

生物の生き方から始めて、学問、芸術、教育、正しい人類の生き方（国家、政治、経済、宗教等）皆この霧の海を探らなければわからない。

だから無差別智に関する参考書が欲しい。それには幸い次のものがある。

「無辺光」（山崎弁栄著、講談社近刊）――無辺光という書名は、光明主義では無差別智を無量光寿の如来の光明と見ているからである。

しかしそうしてもなお、物質的自然界の中は見易く、外は非常に探りにくい。だから実際には、わかっている物質現象に無差別智の知識を少し加えて、見て行くとよいのである。無差別智の知識をごく少し加えるだけで、非常によくわかって来るから不思議である。

さて、人体について言えばどうなっているかであるが、弁栄上人は頭頂葉は霊性の座、前頭葉は理性の座と言っている。霊性とは第九識のことである。

大脳生理学は、前頭葉は感情、意欲、創造を司り、頭頂葉は受け入れ態勢のよって来る所だと言っている。それで、何が慥かめたいのであったかと言えば、時という心の食物を人がどうするかということであった。

まずこの食物を咀嚼玩味する口が大脳前頭葉であることは、大脳生理学者にも異存はないと思う。そうしてエキス化したものを貯える所が大脳頭頂葉であることも、受入れ態勢は頭頂葉に由来すると思っているのだから、大体同意してもらえると思う。そうすると第八識は頭頂葉である。

次に問題になるのは、大脳生理学が創造は前頭葉が司ると言っていることであるが、私の経験と比べてどうも変である。大体、欧米の大脳生理学者は、それをどのような方法で決めたのだろう。彼らにそんなことが決められるだろうか。私がそう疑う理由をお話ししよう。

一九一二年に死んだ、フランスが世界に誇る大数学者に、アンリー・ポアンカレーという人がいた。「科学の価値」(岩波文庫)という本を書いて、その中に一章を設け、数学上の発見と題して、自分の数多くの経験を詳細に述べ、その後にこう言っている。

かように数学上の発見は、

一、パッと一時にわかる。

二、理性的努力なしには発見は行われないが、それが起こるのは努力の直後ではなく、大分時間が経ってから後である。

三、結果は殆ど理性の予想の範囲内にはない。

この三つの特性を備えているのだが、これが如何なる知力の働きによるのか、如何にも不思議である。

これは西洋文化の核心に触れた問題であるから、フランス心理学会が早速これに興味を持ち、直ぐに当時の世界の大数学者たちに、貴方がたの数学上の発見はどのような形で行われますかと問い合わせた。そうすると答は大体、ポアンカレーと同じであった。

それでこの基本的な問題は確定した。しかし解決に向かっては一歩も踏み出さないいまま今日に及んでいる。どうしてこういうことになるかの理由を説明しよう。

もう二十年以上も日本にいる胡蘭成氏という中国人が、近頃日本語で「建国新書」(中日新聞発刊)という本を書いた。この本は最良の書の一つと思う。その中で胡氏は、こう言っている。

人の知の領域は三層に分つことができる。顕在識、潜在識、悟り識。

今日学校で教えている知は顕在識ばかりである。

「とうもろこし」は台風を予知する。午後には台風が来るという日には、午前中から腰を曲げて丈を低くし、葉は皆巻いて待機の姿勢をとる。これに似た不思議な知力が人にも働く。これが潜在識である。悟り識が開けなければ真の文化にならない。

日本民族は神代の昔、漢民族は黄帝の昔から悟り識が開けている。然し欧米人は未だに悟り識が開けないから、その文化は真の文化にならない。こう言っている。成る程ソビエトのチェコに対するやり方をみると、国は強いのが偉い、偉ければ何をしてもよい、と思っているとしか思えない。これでは野獣の集団から一歩も出ていない。金星へロケットが打ち込めるのに、人ならば自明な筈のこのことがわからないのは、悟り識が開けていないからだろう。胡蘭成氏は、日本民族や漢民族は文化を悟り識で作るし、欧米人は潜在識で作ると言っている。そうすると、私は数学上の発見を悟り識でしたし、ポアンカレーは潜在識でしたということになる。

ポアンカレーの言う発見はインスピレーション型発見であって、数学上の発見には今一つ情操型発見というものがあるのであるが、インスピレーション型発見は、私の場合は、ポアンカレーが挙げたものの外に、二つの大きな特徴を持っている。一つは必ず、「発見の鋭い喜び」（寺田寅彦先生の言葉）を伴うということである。その最もよい例はアルキメデスの場合である。

今から二千年余り前、キプロス島の王が金の冠を作らせた。王はそれが本当に全部金であるかどうかを慥かめたいと思って、アルキメデスに金冠を切り割らないでそれをせよと命じた。アルキメデスは王の難問に考え疲れて街の風呂へ行った。

そして、なみなみと縁まで湯の張られている湯船に身をつけると、湯がザーッと溢れた。とたんにアルキメデスはわかった。それで、嬉しさに我を忘れて、「予は発見せり、予は発見せり」と大声で叫びながら街を裸で飛んで帰った。

アルキメデスはこのやり方で、水を使って金冠の容積が測れることを発見したのである。あとは、それが中まで完全な金であった場合の重さと、金冠の重さとを比較すればよい。そうしてみると、後者の方が軽かった。それでアルキメデスは「全部が金ではありません」と答えた。王が刀で金冠を切り割ってみると、中心部は銀であった。

私がポアンカレーは鋭い喜びのことを言っていないと本に書いたのを読んで、胡氏は喜んで、念のため米人の書いたアルキメデス伝を見てみた。そうすると、外は全部詳しく書いているのに、彼の発見の鋭い喜びのことは少しも書いてなかったということである。

第二は、決して疑いを伴わないことである。

或る時私は、一つの非常に重要な、インスピレーション型の数学上の発見をした。それで私は、その発見が四隣にどういう影響を及ぼすかが見たくて、それを次から次と調べて行った。発見をしたのは秋風が吹き始めた頃であったが、その発見を論文に書き始めた時はもう蛙の声がしきりであった。九カ月程証明してみないで捨てておいたのである。

この例が、創造が前頭葉で行われるものでないことを、最もよく示している。数学上のインスピレーショシ型発見は頭頂葉に実るのである。これが実ると、それを疑わないこと、妊娠した女性と同じである。

論文に書く時は、その頭頂葉に実った創造の影を順々に前頭葉に映して、それを紙に書き写して行くのであるが、そうして論文が出来てしまうと、後は三日もすれば跡方もなく忘れてしまう。これも女性が分娩するのと同じである。

こんなふうだから、創造は前頭葉で行われると、欧米の大脳生理学者が言っているのはでたらめである。真の創造はかように頭頂葉で行われる。他の二つ、善美について調べてみよう。

善行の素(もと)がもし前頭葉に実るものとすれば、前頭葉が命令して運動領(頭頂葉と前頭葉との中間)が行為することになるから、自分が善行を行ったとなる。

禅ではこの時、エッセンシャルなのは善行が行われたということだけであって、「自分が行った」などというのは悪質のトリビアルであると見て、かような善行は染汚(ぜんな)された善行であって、かようなものは真の善行とは言えないと言っている。善という創造も頭頂葉に実るのである。

美はどうであろう。

日本の三大古典は古事記、万葉、芭蕉である。これらは何れも文学であるが、そこには大小遠近彼此の別はない。大小遠近彼此は前頭葉である。

だから、美の創造もまた、頭頂葉に実るのである。念のために画について調べてみよう。

東洋の画は純粋情操の目で見て描いている。これに対して西洋の画は感情の目で見て描いている。同じではないのである。そのよい証拠は、西洋の画では女性の裸体画が最高の美とされているが、東洋の真面目な画には女性の裸体画は一枚もないことである。美の意味が違うのである。

東洋の美とは悠久な美しさ（芥川の言葉）である。これが本当の美である。美をかく解するならば、画においても、美は頭頂葉に実るのである。

西洋のように言うと、遂にはピカソの画もまた、美だということになってしまう。しかしこれは明らかに無明（生きようとする盲目的意志）を描いたものである。

創造が頭頂葉に実るのは、明らかに無差別智が頭頂葉に輝くからである。前頭葉の働きは、何によって出るのであろう。頭頂葉のことにうとい欧米の大脳生理学者も受け入れ態勢は頭頂葉に由来すると言っている。仕事の場は前頭葉である。そこへどのようにして頭頂葉の意向を伝えるのであろう。頭頂葉から出る無差別智の輝きが、前頭葉を裏照らすためだという以外に、一寸方法が考えられないのではなかろうか。

それについて私にこういう経験がある。私は幸い詰将棋が下手である。それで日曜日に新聞に出る詰将棋の中にも時々なかなか詰まないものがある。或る夜、考え疲れて、この将棋が詰むとは不思議だなあと思いながら、小便所に行くと、その白壁に将棋盤と駒とが映った。

考え込まされるのは、無差別智の光りが前頭葉を裏照らすからである。

頭を十分鍛えた人は誰でも経験しているだろうと思うが、前頭葉には四智が皆働く。そして弁栄上人の言う所を信じざるを得ないとすれば、その光源は頭頂葉の第九識以外にあり得ない。だから前頭葉が十分の働きをするのは、頭頂葉に発する無差別智の光りが、前頭葉を裏照らしているからである。

四智の中でとりわけ大切なのは平等性智である。自明がわかるのも、存在を与えるのも、可哀相にと思うのも、善（崇高なもの）を指向して微動だにしないのも、皆平等性智の働きだからである。

七年前、どうも近頃の学生は自明がわからないなあと思ったから、前頭葉に現われる平等性智の光度を、奈良の女子大生を実験材料にして測ってみた。私のものを一とすると、二万七千分の一である。これは自分の中に大きな自家撞着があっても、外から指摘されなければわからないという暗さである。

ところが、最近また奈良の女子大で測ってみると、更に三十分の一に暗くなっている。大体百万分の一である。これはもう他から矛盾を指摘されてもわからないという暗さである。

東大生にもどうしても話し合えないものが多いというが、この暗さに違いない。これはもう前頭葉不在といってよい。そうすると昆虫と同じようなものである。そうなると、ともかく単独行動はできない。

9

どうなればよいかは、これでよくわかった。頭頂葉に発する無差別智の光が前頭葉をよく裏照らすようになればよいのである。

以前は頭がここまで発育するのを待って、それから大学に入れて、学問をさせたのである。大人物と言うのは、この光度の非常に大きい人と言う意味である。

かように学校教育は頭を発育させるのが目的である。ところが日本は、明治の初めから（欧米の）学問恐怖症にかかっている。そのため多くの人は学校教育とは学問をさせることだと思っている。それが昂じて、側頭葉へ記憶として学問を詰め込んで置けば利く、最近では授業さえすれば利くと思っているらしい。これが全然迷信であったことが、今度大学生をよく見せて貰ってわかったと思う。今度の実験の一つの大切な結果であるから繰り返しておこう。

側頭葉へ学問を（記憶として）詰めこんでも少しも利かない。

しかし記憶するのが無駄だと言っているのではない。

咀嚼玩味を十分にしようとすると、非常に難しい。大小遠近彼此の別がとれるまでするのが理想だというのだから、まるで禅の修行である。

どうすれば咀嚼玩味しやすいかというと、一度対象を心に入れるとよいのである。心の中のものでないと十分咀嚼玩味出来ない。それにはまず記憶させるのが、一番手っとりばやいのである。

大小遠近彼此の別がとれるとどうなるかを言っておこう。

知は印象化される。即ち存在感のないものは取れてしまう。そして知のエキスとなる。

情は純化される。即ちいわば紅、白粉が取れて素顔の美が残る。そして情のエキスとなる。

意は霊化される。即ち盲目的な部分が取れて善（崇高なもの）を指向するものが残る。そして意のエキスとなる。

感覚は浄化される。即ち汚れた部分が取れる。そして感覚のエキスとなる。

これらのエキスが頭頂葉に貯えられるのである。エキスとは日本語で言えば精粋である。やはり長くなっても精粋と言わなければ、エキスというと威厳がない。頭頂葉のものはすべて威儀を備えている。

記憶することの今一つの利益を述べよう。私は中学五年間、一口に言えば丸暗記の練習ばかりした。

私にとって数学以外は皆暗記ものだったのである。試験の前に丸暗記する。済むと忘れるに委せる。しかしこのやり方でも結構精粋は残る。これは忘れ得ないのである。

しかし言おうと思っているのはそれではない。上手に丸暗記しようと思えば、精神統一下においてしなければならない。精神統一とは、精神集中を続けていると、その中に努力感を感じなくなる。その状態が精神統一である。

精神集中は、大脳前頭葉の意志力である。これを強くしようと思えば、この季節に丸暗記させるのが一番よいと思う。私は精神集中力が非常に強いのである。こればかり使って数学の研究をして来たと、言おうと思えば言える。

精神集中とは心の一か所に関心を集め続ける力である。実例を一つお話ししよう。

今年（一九六八年）の初めに、私は高知市へ行って小、中学校の校長さんに講演した。そしてその夜の宴会で、私は神代のお話をじかにしたかったのだが、私の不勉強のためまだそれが出来なかったから、今日は仏教の言葉を借りて明治以前をお話ししたのですと言った。

私はそのまま翌日奈良へ帰るつもりでいた。ところが突然雪を伴った嵐が襲って来た。この雪嵐は、東京まで行って交通を麻痺させたから、憶えていられる方もあると思う。それで汽車も汽船も出なくなった。私はすることもなく高知市の一室に座っていた。

そうしている中に、私の関心はおのずから「神代」の二字に集中されてしまったらしい。ただ座っているだけだのに少しも倦怠せず、夜が来ても寝ようとも思わなかった。

明け方になって、やっと少しまどろんだと思うとすぐ覚めた。

見ると、私の前頭葉という映写膜には、より抜きの歌と俳句とで描かれた日本史が展開されている。私は一目見てパッとわかった。そうか、これが神代か。

私は、この雪嵐を神意だと思っている。

この節の結びとして、前に言ったことを今一度掲げておこう。

第八識頭頂葉、第七識前頭葉。

## 10

これで学校教育の目標は明らかになった。次の問題はどう育てればそうなるかである。

まず頭頂葉を育て、次に頭頂葉及び前頭葉の働きを出すようにしなければならない。

それで頭頂葉の育て方であるが、中国は何といっても老大国であると思う。それに日本の頭頂葉の教育は、明治以前の方が巧くいっている。明治以後のものの長所は、大体、前頭葉及び側頭葉の教育にある。

明治以前の日本は、少しは仏教や国史等にもよったが、大体、中国の文化によって教育したのである。それでまず、中国の教育法を見よう。

中国は礼楽によって頭頂葉を育てたといえると思う。

楽とは何か。情を喜ばせるものである。

礼とは何か。意と知を整えるものである。そして礼の第一は尊崇性を目覚めさせることである。

芭蕉の句でいえば、

先づ頼む椎の木もあり夏木立——礼

旅人とわが名呼ばれん初時雨——楽

四季でいえば、

春は春雨小止みなく降り続けるし、夏はさわやかに白雨一過するし、秋は時雨が懐しく降るし、冬は「雪積む上に夜の雨」がふる。これが楽である。

春は何時までも春ではいない。

行く春を近江の人と惜しみける（芭蕉）

夏も何時までも夏ではいない。

　秋もはやはらつく雨に月の形（なり）　（芭蕉）

秋も何時までも秋ではいない。

　病雁の夜寒に落ちて旅寝かな　（芭蕉）

冬も何時までも冬ではいない。紀元節の頃から何だかそわそわして、一室に閉じこもって読書を楽しむこととともお別れである。これが礼である。

前の随想「民族のうた」に詳しく書いて置いたように、日本の自然は春夏秋冬、晴曇雨風の千変万化の趣の変化があって、実に美しい。これが楽である。

日本歴史は、これまた何という美しさであろう。しかも、同じく美しいといっても、これは礼、楽を併せ備えている。

私は文学の精粋を詩とうたとに分けている。粒子型に人の心臓を突き抜くものを「詩」、波動型に人の心を撫でるものを「うた」というのである。たとえば晩翠のものは「詩」、藤村のものは「うた」である。芥川の文学は「詩」、佐藤春夫のは文学「うた」である。

「うた」は楽である。「詩」は礼楽を併せ備えているのが普通である。

「詩」によって頭頂葉を育てようと思えば、民族の詩としての日本歴史を教えるのが一番よい。

「うた」によって頭頂葉を育てようと思えば、国語によってこの国の濃やかな情緒を教えるのが一番よい。たとえば、

路を挟んで、畑一面に、
麦は穂が出る、菜は花ざかり、
眠る蝶々、飛び立つ雲雀、
吹くや春風、袂も軽く、
あちらこちらに、桑摘む乙女、
日益し日益しに春蚕(はるご)も太る。

国語には礼も入れて欲しい。

頭頂葉をよく育てようと思えば、また害のある教育はしてはならない。

社会科（狭義）は、基本が自他の別であるから、それだけでも甚だ感心しないのであるが、その上小学三年から、批判力をつけさせようとしている。批判力という知力は、それが、働き

出すのが一番おくれる知力である。これは多分、批判は自己批判が出来なければ出来ないし、自己批判は自分とそれを外から見る自分と、自分を二人作りうるようにならなければ出来ない。自分を二つに分つのは妙観察智の働きである。妙観察智がこの形に働き出すようになるには、容易にならないのであろう。ともかく批判力が働き始めるのは、私達の頃の教育によって見れば、旧制高等学校の頃からである。

小学校の三年に批判をやらせると、他の欠点を探し出して非難することになるのである。これは二つとも、頭頂葉の発育に非常に悪い。

日教組に至っては、共産主義の無血革命を成就する積りで、世の欠点を探し出して教えては、児童の嫌悪感をあおることに努めているようであるが、これは頭頂葉の発育に大害がある。

私は鹿児島から特急「かもめ」に乗った。食堂車に行くとウェイトレスが仲々サービスしてくれない。隣りのテーブルの人達がそれを見て、「かもめ」の食堂だけは特別です。我々をまるで手紙や葉書だと思って、スタンプを義理か役目かのように押しているのです、と教えてくれた。

実際ニコリともしない。年頃の娘さんがニコリとするのは、情緒の発露であって頭頂葉の働きである。それがニコリともしないというのは頭頂葉の発育不良である。

頭頂葉の発育期は小学六カ年。中学三カ年位までは延長できるだろうが、それ以後は無理であろう。とすればこれは非常に治しにくい。このままでは女性として幸福な一生が送れるとは考えられない。児童生徒の半数は女性である。とすればこれはゆゆしい人道問題である。ウェイトレス達の出身地を聞いてみると、この食堂のウェイトレスは、京都と博多だということであった。私は成る程なと思った。

## 11

よく生まれ、よく胎教され、よく環境され、「自我発現の季節」を誤りなく経過した人の子は、やがて小学校へ入る。小学六年間が頭頂葉を育て上げる期間である。これが「中核発現の季節」である。

この季節に、どんな風に教育すればよいかの要点は前節に説いた。

頭頂葉に貯えられた内容（精粋）は、前頭葉に現われて情緒（広義）となる。その最も主要なもの一つだけについて、詳しくお話ししよう。

懐しさの情緒。私は小学四年の時「お伽花籠」（博文館発行）という本を読んだ。巌谷小波先生にその弟子達が、お伽話を一つ宛書いて捧げた本である。その中に「魔法の森」というのがあった。作者はよく憶えていないが、武田櫻桃氏でなかったかと思う。私は今でもこれをお伽話の最高峰と思っている。これは頭頂葉という境の地勢を見るに非常によいと思う。だから何度もお話ししたのであるが、もう一度お話しするからつぶさに聞いて欲しい。

或る山村に母親と姉と弟と三人が貧しく住んでいた。その母親が病にかかって、とうとう、もう立てないということになった。母親は末期の枕辺に二人を呼んで、姉にまだ幼い弟のことをよく頼んで死んで行った。

二人は近所の人達に手伝って貰っておとむらいをすますと、これからどうして食べて行くかを語り合った。

この村の奥に大きな森がある。それを越すと隣村があるに違いない。そこへ行ってみようということに話は落ちついた。

翌朝、二人は住み慣れた家を捨てて、森へ向かった。さて森へ来たが、森はなかなか抜けられない。そのうちに日は西に傾き始めた。

この森は、人も恐れる魔法の森であって、昼はさほどでもないが、夜になると恐ろしい魔力が働くのだが、二人はそれを知らないのである。そのうちにだんだん腹さえ空いて来た。疲れた足をひきずって行くと、とうとう、少し空の打ち開いた所へ出た。向うには真赤な天然の苺畑がある。目ざとくそれをみつけた弟は、握りあっていた手を振りほどいて駆け出した。二姉もその後を追って苺畑へ着いた。

姉が苺を取って食べようとすると、傍の小さな木に止まっていた、小さな美しい鳥が突然鳴き出した。

「一つ苺は一年わーすれる。一つ苺は一年わーすれる」

姉は手に持った苺を捨てて、弟にも急いで喰べないように言ったのだが、腹の空き切っている弟は、姉の止めるのも聞かないで、それも十三も苺を喰べてしまった。

これで腹の大きくなった弟は急に元気になって、「もう森もおしまいだろうから一走り行って見て来る。姉さんはここで待っていて」と言って駆け出した。

姉は、「待って、はぐれてしまう」と言ったのだが、弟は聞かない。みるみるその姿は森の中に消えてしまった。

弟に「ここで待っていて」と言われたから、姉は苺畑の傍を動かない。日はだんだん低くなって行く。小鳥は心配して、「コッチコイ、コッチコイ、コッチ、コッチ」と鳴くのだが、姉は、「いいえ。私がここを動くと、弟が帰って来た時、私がどこにいるかわからなくなります。」と言ってどうしても動かない。とうとう、日は暮れてしまった。

一方、弟は、あれから少し行くと森の外へ出た。そうするとそこの道で、老人夫婦に会った。老人はその村の庄家なのだが、夫婦は子が無かったのである。それで喜んで弟を家に連れ帰って後継ぎにした。弟は何不自由なく、すくすくと大きくなった。

ところが、それから十年経ち、十一年経ち、だんだん十三という数に近づくと、弟は、段々何だか非常に大切なものをどこかへ忘れて来たような気がして落ち着かなくなった。

人の子が生まれて八カ月経つと、時々、何だか遠い昔を思い出そうとしているような眼の色をする。懐しさの情緒が動き始めたのである。この後四カ月が「童心の季節」の中の「情緒の季節」である。この間に無形無色の諸情緒が完備する。これが人の子の春の季節である。その始まりが懐しさの情緒である。小学四年の時、「魔法の森」は、私のこの無形無色の懐しさの情緒を芽生えさせて、有形有色なものに変えたのであろう。

日本は明治以後、物質主義の洪水の中にある。水の中で育ったから、私が初めて日本民族の昔を懐しいと思い始めたのは、数え年二九の時である。それまでかような日本民族を全く忘れていたのである。それから順々に思い出していって、足かけ四十年かかって、今年になってやっとすっかり思い出した。

だから私には、この弟の気持がよくわかるのである。しかし私はその前から、このお伽話が一番好きであった。今の日本は何だか、姉を忘れた弟のような気がする。

こんなふうにして十二年目になると、とうとう弟はたまりかねて、許しを受けて旅に出た。どこに何を尋ねてよいやらわからぬままに、時は流れた。そのうちに弟は偶然、あの森の前を通った。

ところが、それが丁度十三年目であったから、魔法はとけて、弟は一時に全てを思い出した。すぐ駆け出して苺畑の所に行くと、丁度姉の立っていた所に、一本の見慣れない細い木が立っていた。弟にはすぐこれが、姉の変り果てた姿とわかったから、思わずその木につかまって、ハラハラと涙を流した。

人の涙というものは、何という恐ろしい力を持っているものだろう。その涙がその木にかかると、そこには木は無くて姉が立っていた。そして、姉弟共に庄屋の子になったのである。

中核を発現させるとは、こんなふうにするのである。丁度大切な植物木の芽生えを、丹念に育てるようにするのである。

他に非常に大切な情緒に、懐しさは過去という時の情緒であると思うが、現在という情緒、未来という情緒がある。それから、可哀相にという情緒、可哀想なことをするものを憎む心、即ち正義心という情緒がある。

12

前頭葉の教育は、頭頂葉が大分出来た小学五年位からでないと、本格的には始められないらしい。私達の時を見てもそうなっていたし、孫を見てもそうである。

孫のきのみは、今小学四年であるが、まだ前頭葉はよく働いてきていない。勉強する気は、小学四年の初めから出ている。これは頭頂葉の働きが前頭葉に及んだのである。前頭葉が働き始めてはいるのである。私達の時は、小学五年から日本歴史、理科、地理を教えた。

歴史は時実利彦氏の御説によれば、時の情緒が完備するのは小学四年の終り頃だから、小学五年からでないと教えられないというのであるが、孫のきのみは小学二年の終りには時がよくわかっていた。人によって違うとすれば、課外でもっと早くから国史を教えたらよいと思う。国史は何といっても小学教育の支柱である。民族の昔が懐しくないものには何もできない。平等性智が輝いていないからである。これを十分教えないで創造性を求めるのは、木によって魚を求むる如きものである。

私は数学の研究で難問に遭遇すると、必ず歌ったものである。

吉野を出でて打ち向う
飯盛山の松風に
靡くは雲か白旗か
響くは敵の鬨の声

そうすると電光がピリピリッと背骨を走る。そうするとよしやってやろうという気になる。頭頂葉に光がついたのである。そうするとほのぼのと面白くなって来る。前頭葉に光が及んだのである。

理科は、尊崇性を十分つけ加えると、これによって礼を教えることが出来る。地理は前頭葉が主だと思う。外に側頭葉が非常に要る。しかしもう少しその練習をさせてもよい。

本当の自分は真我であるということを教えるのに、「修身」の形式と「社会」の形式と、どちらが教え易いだろう。ともかく「社会」は、他の欠点を探し出すのではなく、自分の欠点と他の長所とを探し出させるのでなければいけない。他に嫌悪感をもよおすのでなく、自分をざんげし、他に感謝するのでなければいけない。社会の支柱は嫌悪感ではなく正義心である。

このまま残しておいて、時々目のある督学官を派遣して児童の顔付きや態度を見させると、日教組退治には一番良いだろう。

人の世の欠点を見るか、人の世の長所を見るか、作文を書かせてみればいつわれない。作文で情緒の発育状態をみても、日教組は封じられる。

顔付きや態度は、頭頂葉の発育状態を示す。頭頂葉のよく発育した人を選んで、上記のことが一目でわかるようによく訓練し、督学官として小、中学校を見て廻らせると、日教組の悪謀はすぐに明かるみに出てしまう。そしたら処罰すべきである。教育を闇にしておくからバイキンがはびこったのである。

かような方法によって、現在のような大学生の出てくる源を、確実に完全に絶つべきである。日本の存亡に関すると思う。これをするためにも教育改革は、ぜひ要るのである。

つまり共産主義というバイキンは、情緒（広義＝無差別智）という太陽にまともに当ると、死滅するのである。

小我を自分だとする「日本国新憲法の前文」をデューイの野獣の教育学で裏うちし、その上、高級職工を作る目的で側頭葉ばかりを教育し、その上教育の成果が成績でわかるなどという馬鹿な考えを起こすから、その闇に乗じてこんなバイキンがはびこってしまったのである。

法律が共産主義を非合法と認めることは、多分、憲法が止めているのだろうから、じかに無差別智の光（太陽）によってそれを退治するとよいのである。このことは教育界外の日本の共産主義に対してもいえることである。

## 13

旧制中学五カ年は、まさに明けようとしてなかなか明け切らない、知情意の長い夜明けのようなものであった。

これは「自我発現の季節」で前頭葉が一応でき、「中核発現の季節」で頭頂葉が一通りできても、頭頂葉が十分に無差別智を発光し、その光が前頭葉を裏照らすという、頭頂葉、前頭葉の働きがなかなか出てこないということだろう。

これらの働きは、前頭葉を使っていると出てくるのである。旧制中学五カ年は先生が手伝って使わせるし、旧制高等学校にもなれば、自分一人でそれをやらせるのである。

粉河中学の私の先生達は、まさに覚めようとして覚めかねている知情意をみつけては、それを揺り動かして覚めさせるというやり方を上手にやった。「啄拓同時」というのであろう。うまくそうしてもらった時、生徒は、面白いなあと思うのである。これが前頭葉に無差別智の光が及んだ証拠である。とりわけ内田與八先生が印象に残っている。

これは先生達にしてもらったのではないが、私は新学期の前に教科書一揃いを買ってもらった。喜んで家に帰って習字の手本を見ていると、

深林人不知
明月来相照

とあった。何だかよさそうに思って暫くじっと見ていた。そうするとだんだんわかって来て、そうするとほのぼのと面白くなった。私の前頭葉に光がとどいたのである。

これまで数学教育のことは書かなかったが、大体、数学は、頭頂葉が発する光「無差別智」

（特に平等性智）が前頭葉を裏照らす。この状態においてするのである。補助として機械的計算や論理も少しは使う。これらは側頭葉である。

数学教育は、小学一年の初めからこうやるのである。（水道方式は側頭葉しか使わないからいけない。）小学一年から前頭葉に無差別智が働くかというと、この時は特に平等性智が問題になるのだが、少しは働くとみえて、私はこのやり方で数学した。慣れてやるのでなく（側頭葉）、やるからわかるのでなく（前頭葉）、わかるからやるのである（頭頂葉）。つまり数学に少しも難渋を感じなかった。計算問題より応用問題の方が好きであった。つまり考えることが好きだったのである。

私は平等性智型だった。作文が好きなのは妙観察智型である。二型あるのである。

中学三年の時、異常な出来事があった。それをお話ししよう。

二学期に脚気で大分長く学校を休んだ。家にクリフォードのコモンセンス・オブ・ザ・エクザクトサイエンスを菊池大麓先生が訳して、「数理釈義」と名付けたのがあった。第一章第一節、ものの数はこれを数うるの順序にかかわらず。第二節、ものの数はこれを加うるの順序にかかわらず、といった調子の本である。私は珍らしいことを聞くものだと思って、それが面白くてとうとう読みあげた。

その中にクリフォードの定理というのがあった。全体霞の中の景色のような中に、これだけがいやにはっきりしている。

直線が三本あると、三角形が出来て外接円が決まる。四本あると、かような四個の円が一点に交わる。五本あると、かかる五点が同一円周上にある。かくの如く、交々円と点と決定して極まるところなし。

私はすっかり神秘感に打たれた。三学期に寄宿舎で試験がくるまで、本当にそうなるかと思って、定木とコンパスで画き続けた。

感激性の芽生えの季節なのであろう。この年頃の強い感銘は、その人の生涯を左右することが往々にあるらしい。私が数学を研究することになったのも、ここで種が播かれたのかもしれない。中学では幾何が面白かった。問題によっては、補線の引き方がわかるということは、すでに数学上のインスピレーション型発見だといえると思う。

高等学校は三高に入った。私は一高に行こうと思っていたのだが、一高の「嗚呼玉杯に花うけて」（自治）が、何だか動物のひしめきという気がするのに反して、三高の「紅萌ゆる丘の上」（自由）が植物の喜びという気がして、自分の性に合っているのは三高の方だと気付いたから、人生の梶を曲げたのである。もう批判力が働き始めている。

漱石を読むと、「猫」の一節にこういう会話がある。

苦沙弥先生「どうもあいつらは君子じゃない」

あいつらというのは、向いの中学校の悪童達である。

迷亭「君は君子か」と目を覗きこむ。流石の苦沙弥先生もたじたじとなって、

「僕は——自分を——君子だと思っている」

と切れ切れにやっと踏みこたえる。すると迷亭、突然肩すかしを引いて、

「偉い」

これが道義というもののこつである。私は漱石に手引きされて、だんだん私なりの道義を掘り下げていった。

芥川の創作「秋」を読むと、副主人公にこう言わせている。

「人生はボードレールの詩の一行にだも如かない」

全く大小遠近彼此の別なしである。頭頂葉の面目躍如たるものがある。私はこれが理想というものかと知って、私自身の理想を作っていった。それをお話ししよう。杉谷岩彦先生という、蝶類の採集のお好きな先生があった。一年の三学期の終りにこう言われた。

「三次方程式、四次方程式まではこうして解ける。然し五次方程式からは、一般には、こんなふうに代数的には解けない。このことは十九世紀にアーベルが証明している。

諸君は理科甲だから、大抵、工科へ行くだろう。そうするとこの証明は習わない。しかし理科へ行けば、アーベルがどうしてそれを証明したかを講義してもらえる」

私は、解けるということを証明するには、解いて見せればよいのだが、解けないということをどうして証明するのだろうと、非常に不思議に思った。このアーベルの証明を知りたいという気持は、日が経つほど強くなった。

アンリー・ポアンカレーの「科学の価値」（岩波文庫）にこう書いてあった。

「クラインはリーマンのジリクレの原理を証明しようとして、頭の中で球や、球に一つ耳のついたものや、球に二つ耳のついたものや……を作り、その表面に、十一の極をおいて電流を流してみた。そして常に電流が流れるのをみて安心した」

リーマンというのは数学史中の最高峰、クラインはそれより遅れて出た、リーマン一辺倒の数学者で、こう言っている。

「当時、二五才のリーマンは、すでにカナリヤのように囀っていた」

ジリクレの原理というのは、函数論の非常に基本的な、しかも非常に簡潔な、フレックシブルな形の原理であって、その証明法がリーマンの死後百年間ほど問題になったものである。私は数学とはそんなものかと全く驚いた。また、こう書いてあった。

「エルミットの語るや、如何なる抽象的概念も、なお生けるが如くであった」

この言葉も深く私の印象に残った。

これは後の話であるが、私が大学二年（京大数学科）のとき、秋月康夫（群馬大学々長）は同じ科の一年だった。その時、丸善へクライン全集が来た。私達は三巻とも買って帰って、ポアンカレーが言った論文だけ読んだ。三十頁ほどの、ごく短いものである。

暫く経つと丸善へエルミット全集が来た。前のはドイツ語だったからまだしもよかったが、今度はフランス語だから私達は全く読めない。然し、各巻の初めにエルミットの肖像がある。

それで私達はまた三巻とも買って帰った。その第二巻の巻頭のものは、中年のエルミットの読書姿態である。それを見ていると、何だかポアンカレーの言葉がわかって来るような気がする。

秋月はそれを切り抜いて、額に入れて机の上に立てた。それを見て化学二年の、哲学の西田先生の息子の外彦君まで、一人で丸善へ行ってエルミット全集三巻を買って帰って、その肖像を切り抜いて、机の上に立てた。

頭頂葉に理想を掲げるとは、こうすることである。

15

大学は京大の物理学科に入った。数学がやりたかったのだが、数学で学問に貢献する自信はとても持てなかったし、物理ならばそれがしやすかろうと思ったからである。

ところが安田亮という天才の名の高い講師の先生がいて、三学期に非常に天才的な問題を出した。私はそれをポアンカレーのいうインスピレーション型発見で解いて、数学を研究する自信が出来た。それで二年から数学科に代わった。

当時の京大数学科の二年以上の講義は、百花繚乱たる花園のようであった。何よりも講義の数が非常に少なかった。これは極めて大切なことである。人は空間に住むのであって、壁に塗り込められて住むのではない。

わけても射影幾何の西内貞吉先生の講義は非常に面白かった。花を咲かすには、春の雰囲気を呼んでやればよいのである。先生はそれをよく知っていた。私はそうして咲かされた花である。これでも先生達の教育法の間違っていなかったことを立証する位の、ささやかではあるが役割りは果したのである。そしてこの教育論を書いているのである。

## 16

「自我発現の季節」は、大体、三年保育の幼稚園時代になる。それで、この季節の育児法をよく注意しておこう。私達の頃は幼稚園などという物騒なものがなかったから、安心だったのであるが、今はそれがあるから、その人工が非常に恐ろしいのである。

「童心の季節」の生後三ケ年を過ぎると「自我発現の季節」である。これは小学校に入るまでがそうだと思って貰えばよい。だから、生まれ月によって長さが違うわけであるが、三カ年強である。

ここで大脳前頭葉が形造られるのであって、これが自我である。情緒（広義）の色どりは、自分というものを入れなければ出ない。だから、童心の季節の情緒は無形無色である。これが有色有形になるのは「中核発現の季節」においてであって、それをしようと思えば、その前に「自我発現の季節」が是非要るわけである。

「自我発現の季節」の第一年には、自我の外郭が出来る。

詳しくいえば、時間空間がわかり始める。もののわけがわかり始める。運動の主体としての自分というものがわかる。この時期の育児法としては、余り悪質な衝動的行為だけを、叱ったり、わけを話したりして止めればよい。

この季節の第二年になると、感情、意欲の主体としての自分がわかるようになる。そうすると自他の別がつく。自我が出来たのである。

ところで、この自我であるが、これは真我と小我とが混じっているのである。そうするとこの「自我発現の季節」には、前に前頭葉が形成されると言ったが、それと共に、頭頂葉も大分、発達するとみなければならない。

この時期の教育法は、たとえていえば麦を作るようなものである。雑草は抜き捨てなければならないし、麦の芽は伸ばさなければならない。それにはどうすればよいかということについて、私の場合をお話ししよう。

私の祖父は私に戒律を与えた。自分を後にして他を先にせよ。戒律だから、私に自主的に守らせて、祖父はそれを遠くから見守っていたのである。

人は集団生活を営みたいという本能はあるが、それに対する能力の方は、蟻や蜂のように本能的には与えられていない。だから当然適度に自我を抑止する訓練がいる。

別の言い方をすると、他の哺乳類には、本能やそれに伴う感情(動情)を、自動的に調節する自動調節装置が大脳についているが、人にはそれがない。人にはその代り大脳前頭葉があって、これは抑止力を持っている。人はこの抑止力を使って、感情、意欲(前頭葉は感情、意欲を司る)を適度に抑えなければ、他の哺乳類より馬鹿な動物になってしまう。これは前世紀末の医学の定説である。

小我は本能の根本だから、これを適度に抑止するように人の子を訓練することは、人に課せられた義務である。教育は第一にこれをしなければならないのである。然るにデューイはこのことを全く知らないのである。

抑止力は意志力であるから、自分で使わせることによってだんだん強くしていかなければならない。叱って無理にそうさせて、癖をつけて行ったのでは、きりが無いから駄目である。

私の祖父は、私の「自我発現の季節」の第一年から、私の中学四年の時の死に到るまで、私がこの唯一の戒律をよく守っているかどうかを、遠くから見守り続けた。

実際、この遠くから見守っていてやることは、旧制中学五年まではしてやらなければならない。そして旧制高等学校からは、もうそういうことをしてはならないのである。

自分の感情を抑えなければ、他の感情はわからない。自分の意欲を抑えなければ、他の意欲はわからない。それでこの戒律を与えなければ、他の心の汲めない人になってしまう。

祖父は私に道義教育を施したのである。これに対して、父は私に情操教育を施してこれを助けた。

私の「自我発現の季節」の第二年の終り頃か第三年の初め頃、父は私に唯一言こう教えた。

日本人が桜が好きなのは、散り際が潔いからである。

これが父の情操教育の全部である。しかし実によく利いた。父が私に「潔」とつけたのはこのために違いない。

そして父は、私にその意味がよくわかるように、楠木正行や白虎隊の話をしてくれた。遠い昔のことだからハッキリと思い出せないが、何だか私はその頃から、人はよく死ぬために生まれてくるのだということが、わかりかけていたような気がする。

今年、福島県へ行って聞いたのだが、この地方には、今一つ二本松少年隊というのがあって、白虎隊よりも更に年少なのだが、白虎隊は一人だけ生き残ったために世によく知られたが、二本松少年隊の方は全員討死してしまったから、広く世に伝わっていないのだということである。

ともかく、祖父と父との教育は私の根幹を作った。私は今でも、自分が生きていては、自分が天皇にならなければならないという理由で、さっさと自殺なさった菟道稚郎子の命を人の鑑として、一番尊敬している。私は、出会った人がどれ程の人物だろうと思うときには、命の話を詳しくして、その表情の動きを見守るのである。これは不思議にいつわれないのである。

道義教育は礼であり、情操教育は楽である。

ただ祖父のやり方では尊崇性は別に教えなければならないし、父の情操教育だけでは「うた」がない。然しこの二つの栄養素さえ加えれば、頭頂葉は健全に発育すると思う。

丁度話が小学校教育のところにきたから、前に言い忘れたことをいい添えておくが、小学校の先生は、児童を可愛がってやらなければいけない。私は、太阪市の菅南小学校の藤岡英信先生と、お名前を忘れたが唱歌の女の先生とに、大変可愛がって頂いた。今でも、

花あり月ある孤村の夕べ
いづこにつながん栗毛のわが駒

と、うたうと、みんなの尾についていたずらをして、「坂本、お前もですか」と、涙をためて見られた先生の目を思い出す。当時私は、坂本と言ったのである。

かように私の根幹を作っているものは、大小遠近彼此の別のないものばかりである。大小遠近彼此の別は前頭葉にある。頭頂葉にはそういうものはない。

「自我発現の季節」の第二年から、こうなるように育て始め、これを旧制中学五年の終りまで続けるのである。これを「雑草を除き麦の芽を伸ばす教育」という。これが教育の根本であって、これなしに肥料を施すと雑草をはびこらせるばかりである。

そうして「自我発現の季節」の第三年に移る。三年目になると、これまで身体に閉じこもっていた自我（真我と小我の混合）の働きが、前面の外界に及ぶ。

そうすると子供は自然に興味を持ち、友達に友情を感じるようになる。

この自我の外界への働きが相当強くなっているから、小学校は色々教えることもできれば、同級生を仲よく遊ばせることも出来るのである。

ところが、大学生の実情が暴露される前のことであるが、私は時実利彦先生に、

「近頃対座していると、何だか昆虫のような気のする青年にたびたび出会うが、何故でしょうか」とお尋ねした。先生は、

「前頭葉不在でしょう」

と答えられた。私はなる程、そうすればそうなるが、どう育てれば、そんな釈尊もいってないような、不自然な発育をするのだろうと思って、原因を究明した。結果はこうである。

この「自我発現の季節」の第三年に、幼稚園も家庭も、徹底的な側頭葉教育をすれば、そうなるだろう。側頭葉は知覚、記憶、機械的判断を司る。それで今日幼稚園でさせていることは、大抵、みな側頭葉教育である。その上、家庭でまでピアノや電気オルガンを弾かせるようなことをすると、これは強い側頭葉教育であるから、頭頂葉や前頭葉は、発育しようにもその時間がないのである。

大学生の動きを見ていると、悪いのはまるで昆虫であるが、こういうものを作った一番の遠

因は、幼稚園と家庭との合作による、徹底的な側頭葉教育であろう。

ここをちゃんとやっておいたならば、日教組による被害も、もすこし少なくてすんだだろうと思う。今から実験できないが、してみせておいて貰いたかったと思う。

ともかく、頭頂葉を健全に育てあげなければ、その後教育のしようがないし、そうしようと思えば、幼稚園及び家庭から側頭葉教育を追い払い、教育界から日教組を追い払わなければならない。先生達は、純粋に生活を守るために、組合を作るのを止めるべきである。

ところで昔、寺子屋というものがあった。ここではこの「自我発現の季節」の第三期に、漢字の書き方と読み方を教え、論語の素読を教えた。これは側頭葉教育である。昔のことでよくわからないが、その結果が悪かったかというと、むしろよかったように思われる。これは何故であろうか。

私の経験によると、側頭葉が、その働きを知覚、記憶までに止め、決して機械的判断をしなければ、頭頂葉及び前頭葉は、少しもその働きを阻害されないのである。

だから知覚、記憶までならばやらせてよいと思う。然しその場合でも、短時間に止めて欲しい。

私は、数学をこの機械的判断を止めてしている。だが禅の人達は、知覚、記憶をも止めているのである。寺子屋式教育は短時間に止めて欲しいと思う所以である。

## 17

これまでは男、女性というものを問題にしなかった。然し教育は当然この問題に触れなければならない。

男、女性は何時頃から分かれるかというと、生後十六カ月を過ぎると「意欲の季節」が始まる。この頃から男の児と女の児とで遊び方が全く違う。女の児は自分の情の中に閉じこもりたいのだし、男の児は思うままに駆け廻りたいのである。

「童心の季節」に備わらないものはない。私は、この季節を過ぎたばかりの女の児が、母に乳母車を押して貰って、夕暮の佐保川堤を行くのを見たが、全く驚いたことに、この児は嫣然(ニッコリ)と笑っていた。この児は実質的には十分成熟した女性なのである。

こんなふうだから、男、女性を同じように教えようというのは、もともと無理である。それを思わないのは、学校教育とは学問を詰め込むことだと思っているからである。真の教育は教えられるものの意欲に待つより仕方がないのであって、だからこの意欲の仰角が一番問題になるのである。頭頂葉がよく発育して行ってくれなければ、何も出来ないのはこのためである。

それよりも女性教育は、女性の真の幸福を目標とすべきだと思う。これが巧くいけば女性はよい子を産んでよく育ててくれるし、男性は非常にエンカレッジ（鼓舞激励）される。

これらのためには、私は、男女は別学にすべきだと思う。

一例を挙げよう。大阪城の運命も旦夕に迫った時に、木村重成は、秘かにこれを最後と決意して出陣しようとした。結婚したばかりの美しい妻は、膝まずいて甲を捧げた。重成が受けとってみると、名香が焚きこめてあった。重成は、妻の心を知って、甲をかぶり終ると、その緒を結び目ぎりぎりにプツリと切った。妻は静かに夫を見送ると自室に入って、先んじて自刎した。これを理想として女性教育したいのである。

私達の頃は、小学校だけは、田舎では男女共学であったが、それでも席は男女二つに分かれていた。

男を男くさいとも思わないで、逞しい顔付きに育ったのでは、女性の真の幸福はあり得ないと思う。戦前の何かの小説に、自分は女学生達をみると、新鮮な果物のような気がすると書いてあったが、今そんな気のする女の生徒にはほとんど会わない。大体、新鮮ではないのである。顔付きといい、姿態といい、全く変わってしまったのである。

目を重成の妻で研いでおいて、日本の現状はどんなふうかをみよう。

大学生の行動が明かるみに出てからのことであるが、共産主義の大学生が、女一人と男二人とで同棲していたという記事が新聞に出た。テレビに、男が女に向かって、共有はいやだと言っている一説が出た。驚いていると、或る僧侶の方がこういう話を聞かせてくれた。奈良の女子大生が共産主義化するのは、京都の男子学生に教えられるのである。大体、共産主義は、「歌って踊って恋をして」といって、大衆、特に学生をひきつけたのであった。現状はそれを遙かに越えたものらしい。詳しく聞いたが、書くにしのびない。

私は、この女子大生の実情を、親達に知らさなければならないと思っている。

又、日本におけるこの共産主義の実情を、一億国民に知らさなければならないと思っている。口では何といっても、実体は野獣よりも悪いのである。一番恐ろしいのは、こんなことをしていると、どんな子が生まれて来るだろうかということである。

私達は仏教のいうところを信じざるを得ない。そうすると人は不死である。そうするとどうして親子の関係が決まるのだろう。仏教は子が親を選ぶのだと教えている。性の合ったところへ行って生まれるのだというのである。最も強く影響するのは最後の刹那、即ち性交の時であって、自分と性の合ったような交わり方をするところへ行って生まれるのだというのである。そうすると、性交は出来るだけ気品高くして貰わなければ、国は誠に困る。一口にいえば心が、肉体を支配して、そこに到るようにすべきである。

今日本の男女関係は非常に乱れている。あんなにひどいのは共産主義の連中だけだが、性交を享楽のためのものと思っている者の数は非常に多いと思う。今、生後八カ月で立つ児の数が非常に多いと聞いているのであるが、正常ならば立つのは十五カ月目である。牛や馬の仔は生まれて間もなく立つ。これは生まれてくる子が牛や馬に非常に似てきたということである。

私はこの事実に戦慄を感じている。こんな子については、内面的発育の季節からして全くわからない。教育で精一杯出来ることは、将来の害をできるだけ少なくすることだけだろう。

男女関係が余り乱れてくると、それだけ国は亡びるだろうということを、一億国民、特に為政者は、是非知って欲しい。これは船の底に大孔があいたようなものである。

この男女問題は、今の教育が如何に間違っているかをよく示している。

こんなことになるのは第一に意欲が下劣なためである。これは頭頂葉の発育不良による。第二は本能を抑止する力が弱いのである。これは前頭葉の発育不良による。学問を側頭葉へ詰めこんでも、少しも利かないことがわかったであろう。

文化国家というが、国民の頭頂葉がよく発育して無差別智がよく働くのでなければ、真善美は創ることはもちろん、わかることもできないのである。

福祉国家というが、真の幸福は無差別智の働きによってあるのだから、国民の頭頂葉の発育なくして福祉国家はありえないのである。

大体、人は不死だから、国家の真の目標は国民の真の向上にある。これは無差別智が働くから可能なのである。だから教育は、何よりも頭頂葉の発育を計らなければならない。

次に重要なのが前頭葉である。今はもっぱら側頭葉の発育ばかり計っているのである。

試験もこれに合わせる工夫が大切であろう。頭頂葉、前頭葉がよく発育していなかったならば、学問も本当にわかる筈がないのだから、この試験の仕方は、外の点ではあまり難しくはないはずである。ただ試験官に人が要るのである。

（一九六八・一二・一九　坂田文相へ送る）

岡　潔〈おか・きよし〉
理学博士。多変数解析函数の世界的権威。一九〇一年、大阪市に生まれる。京都大学理学部数学科卒。奈良女子大学名誉教授。五一年、日本学士院賞受賞。六〇年、文化勲章受賞。六八年、奈良市名誉市民に推さる。

岡潔　日本民族の危機
東京都江東区東雲一—一—六—九一一　合同会社土曜社　発行
二〇二〇年五月三十一日初版発行
二〇二三年十二月三十日二刷発行
王子製紙・日本ハイコム・加藤製本　製造
底本『葦牙（あしかび）よ萌（も）えあがれ』（心情圏・一九六九年）